講談社文庫

悪意

東野圭吾

講談社

目次

事件の章　野々口修による手記

1

事件が起きたのは四月十六日、火曜日である。

この日私は、午後三時半に自宅を出て、日高邦彦《ひだかくにひこ》の家に向かった。日高の家は、私のところからだと電車で一駅だ。駅から少しバスに乗るが、それでも徒歩の時間を加えて、二十分もあれば到着できる。

ふだんから私は、大した用もなく日高の家に行くことがあったのだが、この日は特別な用件があった。というより、この日を逃せば、当分彼には会えないのだった。

奇麗に区画整理された住宅地の中に彼の家はある。建ち並んでいるのは高級住宅ばかりだ。そして時折、豪邸と呼ぶにふさわしい屋敷が見られる。このあたりはかつて雑木林で、それをそのままそっくり庭木として残している家が多い。塀の内側にはブナやクヌギが生い茂っていて、道路に深い影を落としている。

その道路にしても、さほど狭くもないのに、このあたりはすべて一方通行だ。安全性もステータスの一つということか。

日高が何年か前にここに家を買ったと聞いた時、私は、ああやっぱりなと思った。この地域で育った少年たちにとって、ここに住むことは夢の一つであったからだ。

日高の家は豪邸とまではいかないが、夫婦二人だけで住むには、間違いなく広すぎると思われる屋敷だった。入母屋《いりもや》を採り入れた屋根の形などは和風だが、出窓があったり、玄関がアーチ型になっていたり、二階の窓にフラワーボックスがあったりするところは洋風のデザインである。これはおそらく夫婦の意見を等分に取り入れた結果なのだろう。いや、塀がレンガ造りということを考えると、夫人の意見がより多く通ったと見るべきか。彼女はヨーロッパの古城のような家に住んでみたいと、かつて漏らしていた。

訂正。夫人ではない。前夫人だ。

そのレンガ塀に沿って歩き、やはりレンガを長手積《ながてづ》みにした門の前に立つと、私はインターホンのボタンを押した。

ところがいくら待っても応答がない。見ると、駐車場に彼のサーブがなかった。出かけているらしいと了解した。

ではどうやって時間をつぶそうかと考え、桜のことを思い出した。日高家の庭には、八重《やえ》桜《ざくら》が一本だけ植えられており、この間来た時には三分咲きというところだったのだ。あれから十日近く経っているが、どうなっただろう。

人の家ではあるが、友人という立場に甘えて、勝手に入りこむことにした。玄関へのアプローチが途中で枝分れして建物の南側へと延びている。その上を歩き、庭へと回った。

桜はかなり散っていたが、まだ観賞に耐える程度には花びらを残していた。が、それを眺めている場合ではなかった。そこに知らない女がいた。

女は腰を屈《かが》め、地面を見ているようだった。ジーンズにセーターという軽装だった。手に白い布のようなものを持っていた。

あの、と私は声をかけた。女はびっくりしたようだ。こちらを振り返ると、ものすごい勢いで立ち上がった。

「あっ、すみません」と彼女はいった。「これが風に飛ばされて、この庭に入っちゃったものですから。お留守みたいだったので、申し訳ないとは思ったんですけど」そして手に持っていたものを見せた。それは白い帽子だった。

彼女は三十代後半に見えた。目も鼻も口も小さい、地味な顔だちの女だった。顔色もあまりよくなかった。

帽子が飛ばされるほど強い風なんて吹いたかなと、私は少し疑問に思った。

「熱心に地面を御覧になっていたようですが」

「ええ。あの、芝生がとても奇麗なので、どんなふうに手入れなさってるのかなと思ったんです」

「ふうん。いや、僕にはよくわかりません。ここは友人の家でね」

彼女は頷《うなず》いた。この家の主が私でないことは知っているようだった。

「どうもすみませんでした」彼女は頭を一つ下げると、私の横を抜け、門のほうへ歩いていった。

それから五分ほどしてからだろうか。駐車場のほうで車のエンジン音が聞こえた。日高が帰ってきたようだった。

私は玄関のほうに戻った。紺《こん》色のサーブが、バックしながら駐車場に入っていくところだった。運転席の日高がこちらに気づいて、小さく頷いた。助手席に座っている理恵《りえ》さんも、ほほ笑みながら会釈してくれた。

「すまん。ちょっと買い物に出るつもりが、道路が渋滞しちゃってね。参ったよ」車から降りるなり、彼は顔の前で手刀を切った。「ずいぶん待ったかい」

「いや、それほどでも。庭の桜を見せてもらってた」

「もう散ってただろう」

「少しね。でもなかなか立派な木じゃないか」

「咲いている時はいいがね、その後が大変だ。仕事場の窓が近いから、毛虫が入ってくることがある」

「それはそれは。だけど、当分ここで仕事をすることもないじゃないか」

「うん。あの毛虫地獄から逃れられると思うと、ほっとする。まあとにかく中に入ってくれ。まだコーヒーを飲む程度の食器は出してある」

アーチ型の玄関をくぐり、我々は家の中に入った。

屋内は、ほぼ片付いていた。壁に飾ってあった絵も消えている。

「荷造りは終わったのかい」私は日高に訊いた。

「仕事場を除いて、大方終わったよ。まあ殆《ほとん》ど引っ越し屋任せだったがね」

「今夜はどこで寝るんだい」

「一応ホテルをとってある。クラウンホテルだ。でも俺はこっちで泊まりかもな」

私と日高は、彼の仕事場に入った。約十畳の広さがある洋室だ。パソコンと事務机と小さな本棚が一つあるだけで、がらんとしている。残りは梱包《こんぽう》してしまったのだろう。

「というと、明日までに書かなきゃならない原稿が、まだあるのかい」

私の質問に、日高は顔をしかめて頷いた。

「連載が一回分残ってる。今夜中にファックスで送ることになっているんだ。だからまだ電話を止めるわけにもいかない」

「聡明社《そうめいしゃ》の月刊誌かい」

「ああ」

「あと何枚書かなきゃいけないんだ」

「三十枚。まあなんとかなるだろう」

椅子は二つあったので、事務机の角を挟む形で座った。間もなく理恵さんがコーヒーを運んできてくれた。

「バンクーバーの気候はどうかな。こっちよりは寒いんだろう」私は二人に訊いてみた。

「緯度が全然違うからな。こっちよりは寒いさ」

「でも夏に涼しいというのはありがたいわ。冷房のきいた部屋にばかりいると、身体の調子が悪くなるから」

「涼しい部屋で仕事もはかどる、ということになればいいんだが、まあ無理だろうな」日高はにやにやした。

「野々口《ののぐち》さんも、ぜひ遊びに来てくださいね。御案内できるようにしておきますから」

「ありがとう。きっと行きます」

ごゆっくり、といって理恵さんは部屋を出ていった。

日高はコーヒーカップを持ったまま立ち上がり、窓から庭を眺めた。

「この桜が満開になるのを見られてよかったよ」と彼はいった。

「来年からは、奇麗に咲いたら写真を撮って、カナダに送ってやるよ。ええと、むこうにも桜はあるのかな」

「知らん。今度住む部屋の近くにはなかったようだ」そういって彼はコーヒーを啜《すす》った。

「ところでさっき、変な女が庭にいたんだけどな」私は少し躊躇《ちゅうちょ》したが、やはり耳に入れておくほうがいいだろうと思って、話すことにした。

「変な女？」日高は眉を寄せた。

私はさっきの女のことを彼に話した。すると最初は怪訝《けげん》そうにしていた彼の顔が、次第にほぐれていくのがわかった。

「こけしみたいな顔をした女じゃなかったか」

「ああ、そうだな。いわれてみればそうだった」比喩が的確だったので、私は笑った。

「新見《にいみ》といったかな。この近所に住んでいる。若く見えるけど、たぶん四十は過ぎてるんじゃないかな。中学生ぐらいの息子がいる。馬鹿丸出しのガキだ。旦那はめったに家にいない。たぶん単身赴任だろうというのが理恵の推理だ」

「ずいぶん詳しいな。親しいのかい」

「あの女と？　とんでもない」彼は窓を開けると、網戸にした。緩やかに風が入ってくる。風には葉っぱの匂いがしみついていた。「その逆だよ」彼は続けた。「どうやら恨みをかっているらしい」

「恨み？　穏やかじゃないな。原因は何だい」

「猫だよ」

「猫？　猫がどうかしたのか」

「あの女の飼ってる猫が、この間死んだらしい。道端で倒れていたんだそうだ。獣医に見せたら、毒にやられたんじゃないかって、いわれたんだとさ」

「そのことと君と、どういう関係があるんだい」

「俺が毒ダンゴを仕掛けて、それを猫が食ったんじゃないかと疑っているらしい」

「君が？　どうしてそう思うんだろう」

「それが傑作でさ」日高はただ一つだけ残っている本棚から月刊誌を抜き取ると、真ん中あたりを開いて私の前に置いた。「これを読んだんだとさ」

それは半頁ほどのエッセイだった。タイトルは『我慢の限界』。横に日高の顔写真がついている。私はざっと目を通した。エッセイの内容は、放し飼いにされている猫の被害に悩まされているというものだった。朝、庭には必ず猫の糞があり、駐車場の車のボンネットには足跡が点々とつき、鉢植えの花の葉っぱは食い荒らされている。白と茶色の斑《まだら》模様の猫が犯人であることはわかっているが、対策のたてようがない。ペットボトルをずらりと並べたこともあるが全く効果がなく、我慢の限界に挑戦している毎日である――大体こういう内容だった。

「死んだ猫は、白と茶色の斑模様なのかい？」

「まあそういうことだ」

「なるほど」私は苦笑し、頷いた。「それじゃあ疑われるのも無理はないな」

「先週だったかな。すごい顔をして乗り込んできたよ。さすがに毒を仕掛けただろうとはいってこなかったが、殆どそれと同じ意味のことをいわれた。うちはそんなことしませんって、理恵が怒って追い返したんだけど、庭をうろうろしていたってことは、まだ疑っているんだな。毒ダンゴが落ちてないかどうか調べてたんだろう」

「ずいぶん執念深いんだな」

「あの手の女はそうだよ」

「君が当分カナダで暮らすってことは知らないのかな」

「理恵があの女に話してたよ。うちは来週からしばらくバンクーバーに住むことになっている、だからお宅さんの猫が少々いたずらしても、あと少しの辛抱だと思うだけですってな。ああ見えても、彼女はなかなか気の強いところがあるんだ」日高は面白そうに笑った。

「でも理恵さんのいうことは筋が通ってる。君たちがあわててその猫を殺す理由なんか、ないはずだもんな」

この私の言葉に、なぜか日高はすぐには同意してこなかった。相変わらずにやにやしながら窓の外を眺め、コーヒーを飲み干してから、ぽつりといった。「俺がやったんだ」

「えっ？」彼のいった意味が咄嗟《とっさ》にわからず、訊き直した。「何だって？」

彼はコーヒーカップを机に置き、代わりに煙草とライターを取った。

「俺が殺したんだよ。毒ダンゴを庭に仕込んでおいたんだ。まさか、あれほどうまくいくとは思わなかったがね」

この台詞《せりふ》を聞いても、まだ私は彼が冗談をいっているようにしか思えなかった。しかし彼の顔は笑ってはいるが、冗談をいう時のものではなかった。

「毒ダンゴなんかどうしたんだい」

「どうってことない。キャットフードと農薬を混ぜて、庭に転がしておいただけさ。育ちの悪い猫は、何でも食っちまうようだな」

日高は煙草をくわえ、火をつけて旨そうに煙を吐いた。網戸を通して入ってくる風に、その煙はすぐにかき消された。

「どうしてそんなことをしたんだ」私は訊いた。あまりいい気分ではなかった。

「この家、まだ借り手が見つからないって話はしたよな」少し真顔になって彼はいった。

「うん」

日高夫妻は自分たちがカナダにいる間、この家を人に貸そうと考えていた。

「不動産屋が引き続き探してくれることになっているが、この間ちょっと気になることをいわれてね」

「どんなこと？」

「家の前にペットボトルを並べてあるのは印象がよくないってさ。いかにも猫の害に悩まされてるって感じがするからしい。たしかにそれじゃあ、誰も借りたがらないよな」

「じゃあそんなもの片付ければよかったじゃないか」

「それでは本質的な解決にはならんよ。借りたいっていう人間がこの家を見に来た時、庭に猫のクソが散らばってたらどうなる。俺たちがいれば掃除もできるけど、明日からは誰もいないんだからな。さぞかしいい臭いを放ってくれるだろうさ」

「それで殺したのか」

「飼い主に責任があるんだぜ。それをあの新見っていう主婦は、わかってないらしい」日高は煙草を灰皿の中でもみ消した。

「そのこと、理恵さんは知ってるのかい」

私が訊くと、彼は片方の頰で笑いながら首を振った。

「知るわけないだろう。女ってのは、猫好きが多いからな。本当のことを話したら、俺のことを悪魔みたいにいうだろう」

何とも答えようがなく、私は黙っていた。するとタイミングよく電話が鳴った。日高が受話器を取った。

「もしもし……ああ、こんにちは。そろそろ電話がかかってくる頃じゃないかと思っていたんです。……ええ、予定通りです。……はは、見抜かれましたか。これから始めるところです。……そうですね、今夜中には何とかなるんじゃないかと思いますよ。……ええ、じゃあできたら送っておきます。……いやそれが、この電話は明日の午前中までしか使えないんです。だからこちらから電話します。……ええ、ホテルから。それじゃそういうことで」

電話を切ってから、彼は小さく吐息をついた。

「編集者かい」と私は訊いた。

「聡明社の山辺《やまべ》さんだ。俺の原稿が遅れるのはいつものことだが、さすがに今回は冷や冷やしているようだ。何しろここで逃がしたら、明後日《あさって》には日本にいないからな」

「それでは邪魔しないよう、そろそろ失礼するよ」私は椅子から立ち上がった。

その時だった。インターホンの音が聞こえた。御用聞きか何かだろうと思ったが、そうではないようだった。理恵さんが廊下を歩く音がして、続いてドアがノックされた。

「なんだい」と日高がいった。

ドアが開き、理恵さんが憂鬱そうな顔を覗《のぞ》かせた。

「藤尾《ふじお》さんがお見えになったんだけど」声をひそめていった。

日高の顔が、スコールを前にした空のように曇った。

「藤尾……藤尾美弥子《みやこ》かい？」

「ええ。どうしても今日中に話したいことがあるからって」

「参ったな」日高は唇を嚙んだ。「俺たちがカナダに行くことを嗅ぎつけたんだろう」

「忙しいからって、帰ってもらう？」

「そうだな」彼は少し考えてから、「いや、会おう」といった。「こっちとしても、ここで決着をつけておいたほうがすっきりする。この部屋に通してくれ」

「それはいいけど」理恵さんは気遣うようにこちらを見た。

「あっ、僕はもう失礼するつもりだったから」と私はいった。

すみません、といって彼女はドアの向こうに消えた。

「困ったもんだ」と日高がため息まじりにいった。

「藤尾っていうと、藤尾正哉《まさや》の？」

「妹だよ」彼は、やや長髪の頭を掻いた。「少し金を寄越せという話なら簡単なんだけど、回収や書き直しという話になると、とても応じられない」

足音が聞こえてきた。日高は口をつぐんだ。廊下が暗くてすみません、という理恵さんの声がする。そしてノック。「はい」と日高。

「藤尾さんよ」ドアを開けて理恵さんがいった。

彼女の後ろには、二十代後半と思える髪の長い女性が立っていた。女子大生が会社訪問の時に着るようなスーツを着ていた。突然の訪問者として、折り目だけは精一杯守ろうとしているように感じられた。

「じゃ、僕はこれで」私は日高にいった。明後日は、出来たら見送りに行くという言葉を発しかけて、飲み込んだ。藤尾美弥子を妙に刺激する結果になってもいけないと思った。

日高は黙って顎《あご》を引いた。

私は理恵さんに見送られ、日高家を出た。

「ばたばたしてすみませんね」手を合わせて片目をつぶり、申し訳なさそうに彼女はいった。小柄で細身なので、そんなふうにすると少女のような雰囲気が出る。とても三十過ぎとは思えなかった。

「明後日は見送りに行きますよ」

「お忙しいんじゃないんですか」

「大丈夫ですよ。じゃ」

さようならと彼女はいい、私が次の角を曲がるまで見送ってくれた。

2

自分の部屋に戻り、少し仕事をしたところで、玄関のチャイムが鳴った。私の住居は日高とは大きく違って、五階建てのマンションの一室である。仕事場兼寝室の六畳間と約八畳のLDKで構成された小さな部屋だ。そして理恵さんのような伴侶《はんりょ》もいない。チャイムが鳴ったなら、自分で出ていかねばならない。

ドアスコープで相手を確認してから、鍵を外してドアを開けた。童子社《どうじしゃ》の大島《おおしま》君だった。

「相変わらず時間に正確だね」と私はいった。

「それだけが取り柄ですから。これ、差し入れです」彼が差し出したのは、某有名和菓子店の名前が入った四角い包みだった。彼は私が甘党であることをよく知っている。

「わざわざ来てもらって悪かったね」

「いえ、どうせ帰り道ですから」

大島君を狭い居間に通し、茶を淹れた。それから仕事場に行き、机の上に置いてあった原稿を取ってきた。

「はい、これ。出来映えはどうかわからないけど」

「拝見します」

彼は湯飲みを置いて原稿に手を伸ばした。そして早速《さつそく》読み始める。私は新聞を広げた。いつものことながら、目の前で自分の作品を読まれるというのは、居心地のいいものではない。

大島君がおそらく半分ほど読み終えたと思われる頃、ダイニングテーブルの上に置いてあったコードレスホンが鳴りだした。ちょっと失礼といって私は席を立った。

「はい、野々口ですが」

「もしもし。俺だよ」日高の声がした。やや沈んだ感じがする。

「ああ。どうかしたのか」

こう訊いたのは藤尾美弥子のことが気にかかっていたからだが、彼はこれには答えず、一呼吸置いてから、「今、忙しいか」と尋ねてきた。

「忙しいというか、来客中なんだ」

「そうか。何時頃終わる?」

私は壁の時計を見た。六時を少し回ったところだった。

「もう少しかかるかな。一体何だい」

「うん。電話じゃあ話しにくいな。ちょっと相談したいことがあってさ。こっちへ来てくれないか」

「それは構わないが」藤尾美弥子の件かと訊きかけて、思いとどまった。大島君がそばにいることを忘れていた。

「八時でどうだい」と彼はいった。

「いいよ」

「じゃあ待っているから」そういって彼は電話を切った。

私がコードレスホンを置くと、大島君がソファから腰を浮かせ気味にした。

「用がおありでしたらこれで……」

「いや、いいんだ、いいんだ」私は彼に座るよう手で示した。「八時に人と会う約束をしただけだ。まだ時間があるから、ゆっくり読んでください」

「そうですか。では」彼は原稿読みを再開した。

私もまた新聞の文字を追うことにしたが、頭の中は、日高の用件は何だろうということに占められていた。おそらく藤尾美弥子の件なのだろうなと考えていた。それ以外には、ちょっと思いつかない。

日高には、『禁猟地』という著書がある。ある版画家の生涯を描いた小説である。一応フィクションということになっているが、じつはこの作品にはモデルがいる。藤尾正哉という男だ。

藤尾正哉は、私や日高と同じ中学に通っていた。その関係で、日高も彼のことを小説にしようと思いついたらしい。ただこの小説には、いくつかの問題があった。つまり作品中に、藤尾正哉にとってあまり名誉と思えないようなことまでが、そのまま描写されているのだ。特に学生時代の数々の奇行について、日高はほぼ事実通りに書いている。そこだけを読めば、登場人物の名前こそ違え、私などにはとてもフィクションとは思えない。また藤尾正哉が娼婦に刺し殺された部分なども、全く現実の事件通りである。

この本はベストセラーになった。藤尾正哉を知る者には、小説のモデルが誰かを推理するのは容易《たやす》い。やがて藤尾の家族の目に触れることになった。

父親はすでに死去している。抗議に立ち上がったのは、母親と妹だった。彼女らの言い分はこうだ。小説のモデルが藤尾正哉であることは明白である。しかし自分たちは、そういう小説が書かれることを許可した覚えはない。またこの小説によって藤尾正哉のプライバシーは暴かれ、不当に名誉を傷つけられることになった。自分たちは本作品の回収と、全面的改稿を求める——。

日高もいっていたように、彼女たちが賠償金といった形での償いを求めたことはないようである。純粋に書き直しだけを求めているからか、それとも何らかの駆け引きを考えているのか、それは今のところわからない。

さっきの電話の声から察するに、藤尾美弥子との交渉はうまくはいかなかったのだろう。しかし私を呼ぶとはどういうことなのか。相当話がこじれたということか。私なんかに、何の助けができるだろう。

そんなことを考えているうちに、向かいでは大島君が原稿を読み終えたようだった。私も新聞から目を上げた。

「いいんじゃないでしょうか」と彼はいった。「ほのぼのとしていて、何か懐かしい感じもします。僕はいいと思います」

「そう。そんなふうにいってもらえると安心するよ」私は実際ほっとして茶を啜った。大島君は気のいい若者だが、いい加減なお世辞をいったりはしない。

通常なら今後の打ち合わせをするところだが、日高との約束がある。私は時計を見た。六時半になっていた。

「時間のほうは大丈夫ですか」大島君が気をきかせていった。

「うん、大丈夫なんだけどね。どうだろう、近くにファミリーレストランがあるから、そこで飯でも食いながら打ち合わせの続きをしないか。それなら僕としても、大変助かるんだけどな」

「いいですよ。僕もどうせ夕飯は食べなきゃいけないんですから」原稿を鞄にしまいながら彼はいった。彼はたしか来年三十歳になるはずだが、まだ独身である。

自宅から歩いて二、三分のところにあるファミリーレストランで、グラタンを食べながら打ち合わせをした。といっても、殆どは雑談である。そのうちに私は、これから会う約束をしている相手は、作家の日高邦彦なのだと話した。大島君は、少し驚いたようだ。

「あの方とお知り合いなんですか」

「うん。小学校と中学が同じだった。実家も近所でね。ここからは歩いて行けるところだよ。もっとも、今はどちらの家も取り壊されて、マンションが建っているけどね」

「幼なじみというわけですね」

「まあそうだ。それで今も交際があるというわけなんだ」

「へえ」彼の目に、羨望と憧憬《しょうけい》の色が滲んでいた。「それは知りませんでした」

「僕が君のところに書かせてもらえるようになったのも、彼の紹介があったからなんだ」

「あっ、そうなんですか」

「最初は君のところの編集長が、日高に原稿を依頼したらしい。でも彼は児童文学は書けないからといって断って、代わりに僕を紹介してくれたんだ。つまり僕にとっては、義理のある相手ということになる」フォークでマカロニを口に運びながら、私はそういった。

「ふうん。そういうことがあったんですか。たしかに日高さんの児童文学というのにも興味はありますね」それから大島君は私に訊いた。「野々口さんは、大人向けの小説はお書きにならないんですか」

「いずれは書きたいと思っているよ。機会さえあれば、というところかな」これは私の本心であった。

七時半に店を出て、そこから駅まで二人で歩き、逆方向の電車に乗って帰る大島君をホームで見送った。すぐに私のほうの電車も来た。

日高の家に着いたのは、八時ちょうどだった。私は門の前に立ち、変だなと思った。屋敷が真っ暗だったからだ。門灯も消えている。

それでも一応インターホンのボタンを押してみた。だが半ば予測したことだが、何の応答もなかった。

この時私は、自分が勘違いをしたらしいぞと思った。日高は電話で、八時に来てくれといったが、それは自宅に八時という意味ではなかったのかもしれない。

私は来た道を少し戻った。小さな公園があり、横に電話ボックスが立っている。財布を出しながら中に入った。

電話番号案内でクラウンホテルの番号を調べた後、ホテルに電話をかけた。日高という人が泊まっているはずだがというと、すぐに繋《つな》いでくれた。

「もしもし、日高ですけど」理恵さんの声がした。

「野々口です」と私はいった。「日高はそっちですか」

「いえ、こっちには来てません。まだ自宅だと思います。仕事が残ってるはずですから」

「いや、それがですね」

私は自宅の明かりが消えていて、中に人のいる気配がないことを彼女に話した。おかしいわねえ、と彼女は電話の向こうで首を傾《かし》げたようだ。

「こっちに来るのは、早くても深夜だろうといってたんですけど」

「じゃあちょっと出かけているだけなのかな」

「そんなはずないんですけど」理恵さんは考えるように少し黙ってから、「わかりました。これからあたし、そちらへ行きます」といった。「四十分ぐらいで着けると思いますけど、ええと、野々口さんは今どちらに？」

私は自分の場所を説明した後、では近くの喫茶店で時間をつぶしていますといって電話を切った。

電話ボックスを出ると、喫茶店に行く前にもう一度日高家の前まで行ってみた。相変わらず明かりは消えていた。駐車場にサーブが入ったままなのが、少し気になった。

喫茶店というのは、日高が気分転換によく入るコーヒー専門店だった。私も何度か来たことがある。店の主人は私のことを覚えていてくれた。今日は日高さんと一緒ではないのかと訊く。会う約束をしているんだが、家に誰もいないんだと私は答えた。

主人相手にプロ野球の話などをしているうちに、三十分以上が過ぎた。私は料金を払って店を出ると、足早に日高の家に向かった。

門の前まで行くと、ちょうどタクシーから理恵さんが降りるところだった。私が声をかけると、彼女は笑顔で応えてくれた。が、屋敷のほうに目を向けると、すぐにその顔が不安そうに曇った。

「本当に真っ暗だわ」と彼女はいった。

「まだ帰ってないみたいですね」

「でも出かける予定なんて、ないはずなのに」

バッグから鍵を取り出しながら彼女は玄関へと歩いた。私も彼女の後に続いた。

玄関の鍵はかかっていた。それを外して中に入り、理恵さんはあちこちの明かりをつけた。室内の空気は冷えていた。人のいる気配はない。

理恵さんは廊下を歩き、日高の仕事場のドアノブに手をかけた。ドアには鍵がかかっていた。

「出かける時には、いつも鍵を?」と私は訊いた。

彼女は鍵を取り出しながら首を捻《ひね》った。「最近は、あまりかけなかったんですけど」

鍵を外し、そのままドアを開いた。仕事場の中も電気がついていなかった。しかし真っ暗ではなかった。パソコンのスイッチが入ったままで、デスクトップのモニター画面が光を放っていた。

理恵さんは壁を手でさぐり、蛍光灯のスイッチを入れた。

部屋の中央に、足をこちらに向けて倒れている日高の姿があった。

コンマ何秒か空白の時が流れ、理恵さんが無言で駆け寄った。だが彼女は途中で足を止め、口元を両手で覆ったまま、全身を硬直させた。その間、一言も発しなかった。

私もおそるおそる近づいた。日高はうつ伏せの状態で、首を捩《ねじ》り、左の横顔を見せていた。その目は薄く開かれていた。死者の目になっていた。

「死んでいる」と私はいった。

理恵さんがゆっくりと崩れ落ちていった。床に膝《ひざ》をつくと同時に、胃袋の底からこみ上げてくるような泣き声を発し始めた。

3

警視庁から来た捜査員たちが現場検証をしている間、私と理恵さんは応接間で待っていた。ただし応接間とはいっても、ソファもテーブルもない。雑誌が詰まっているという段ボール箱に理恵さんを座らせ、私は熊のように歩き回ったり、時折廊下から顔を出して見分《けんぶん》の様子を窺ったりした。理恵さんはずっと泣いていた。私の腕時計は、午後十時半を示していた。

ノックの音がしてドアが開いた。迫田《さこだ》警部が入ってきた。五十歳になるかならぬかといったところの、落ち着いた物腰の男だ。しばらくこの部屋で待っているよう我々にいったのも、この人物だった。どうやら捜査の指揮をとっているらしい。

「少しお話を伺いたいのですが、よろしいですかな」警部は理恵さんのほうをちらりと見た後は、私に向かって尋ねてきた。

「私は構いませんが……」

「あたしも大丈夫です」理恵さんがハンカチで目の下を押さえながらいった。やや涙声ではあったが、しっかりした口調だった。今日の昼間に日高が彼女のことを、気の強いところがある、といっていたことを私は思い出した。

「では少しだけ」

迫田警部は立ったままで、我々が死体を発見するに至った経過を質問してきた。話の流れから、私は藤尾美弥子のことを話さざるをえなかった。

「あなたのところに日高さんから電話がかかってきたのは何時頃ですか」

「六時過ぎだったと思います」

「その時日高さんは、その藤尾という女性のことを何かいいましたか」

「いえ、ただ話があるといっただけです」

「ではほかの用件かもしれないわけだ」

「そうなります」

「それについて何か心当たりは？」

「ありません」

警部は頷き、次に理恵さんのほうへ顔を巡らせた。

「藤尾という人が帰ったのは何時頃ですか」

「五時過ぎだったと思います」

「その後、ご主人と話をされましたか」

「少し話しました」

「ご主人の様子はどうでした」

「藤尾さんとの話し合いがうまくいかず、ちょっと困った様子でした。でも心配することはないと、あたしにはいいました」

「その後あなたは家を出て、ホテルに向かわれたわけですね」

「そうです」

「ええと、今夜と明日の夜、クラウンホテルに泊まり、明後日《あさって》カナダに出発される予定だったのですね。ところがご主人は仕事が片付かず、こちらの家に残られたと……」自分でメモした内容を見ながらいった後、彼は顔を上げた。「このことを知っていたのは誰と誰ですか」

「あたしと……」理恵さんはこちらを見た。

「もちろん僕も知っていました。それ以外には聡明社の人間かな」日高が今夜仕上げる予定だった原稿は、聡明社に渡す分であることを私は説明した。「でも、そういう根拠で犯人を特定するのは」

「ええ、わかっています。これは参考までにお伺いしただけです」迫田警部は、ほんの少しだけ頬《ほお》の肉を緩《ゆる》めた。

この後彼は、最近家の周りで怪しい人物を見かけたことがないかというようなことを、主に理恵さんに対して質問した。覚えがないというのが彼女の答えだった。私は今日の昼間に庭で見た主婦のことを思い出していた。いうべきかどうか迷ったが、結局黙っていた。猫が殺されたからといって、その復讐に人殺しをするというのは、いくらなんでも馬鹿げた妄想だと思った。

質問が一通り終わると、部下に自宅まで送らせますと警部は私にいった。私は理恵さんのそばにいてやりたいと思ったが、警部の話では、彼女の実家に連絡してあるから間もなく迎えが来るはずだということだった。

日高の死体を発見した時のショックが徐々におさまってくるにつれ、疲労がじわりじわりと押し寄せてきているのも事実だった。これから電車に乗って帰らねばならないかと思うと、正直げっそりしてしまう。私は警部の言葉に甘えることにした。

部屋を出ると、まだ多くの捜査員が残っていて、廊下を歩き回っていた。仕事場のドアが開いたままだが、中は見えない。死体は運び出されたのだろう。

制服を着た若い警官が私を呼びにきた。彼は私を、門の前に止まっているパトカーのところへ案内した。パトカーに乗るのはスピード違反で捕まった時以来だななどと、関係のないことを思い出した。

パトカーのそばに男が一人立っていた。背の高い男だった。光線の具合で顔がよく見えない。その男がいった。

「お久しぶりです。野々口先生」

「えっ」私は足を止め、男の顔をたしかめようとした。

男が近づいてきて、影の中から顔も現れた。眉と目の間隔が狭く、彫りの深い顔だった。知っている顔だとまず私は思い、その後から記憶が蘇《よみがえ》ってきた。

「ああ、君は」

「覚えておられますか」

「覚えてるよ。ええと」頭の中で確認してからいった。「加賀《かが》君……だったね」

「ええ、加賀です」彼は丁寧にお辞儀をしてきた。「その節はどうも」

「いや、こちらこそ」私も頭を下げた。それから改めて彼を見た。十年ぶり、いやもっと長くなるか。精悍《せいかん》な顔つきに、一層磨きがかかったようだ。「警察官に転職したとは聞いていたけれど、こんなところで会うとはねえ」

「自分も驚きました。最初は人違いかとも思ったんですが、名字《みようじ》を伺って確信しました」

「珍しい名字だからね。それにしても」私は首を振った。「すごい偶然だなあ」

「車の中で話しましょう。お送りしますよ。パトカーというのが不粋ですが」そういって彼はパトカーの後部ドアを開けてくれた。同時に先程の制服警官が運転席に乗り込んだ。

加賀教諭は、私がかつて教鞭《きようべん》をとっていた中学へ、新卒で赴任してきた社会科の教師だった。彼もまた多くの新任教師と同様、気迫と熱意に溢れて見えた。剣道の達人でもあり、剣道部を率いる姿は、そんな彼の情熱をさらに浮彫りにしていた。

その彼がたったの二年で教職を捨てることになったのには、様々な事情が絡んでいる。そのことに関する私の見解は、彼自身には何も責任がないというものである。ただこういうことはいえるだろう。人にはそれぞれ向き不向きというものがある。教師という仕事が彼に向いていたかどうかということになると、首を傾げざるをえない。もちろんこれには、その時の世の流れというものも深く関わっている。

「野々口先生は、今はどちらの学校に?」車が走りだして間もなく、加賀教諭が尋ねてきた。いや、もはや教諭というのはおかしい。加賀刑事と表すことにしよう。

私は首を振った。

「ついこの間まで地元の第三中学にいたんだけど、この三月で辞《や》めたんだ」

加賀刑事は意外そうな顔をした。

「そうだったんですか。じゃあ、今は何を？」

「うん。照れ臭い話なんだけどね、子供向けの小説を書いている」

「ああ、なるほど」彼は頷いた。「それで日高邦彦さんとも付き合いがあるわけですか」

「いや、それは少し違うんだ」

私は、自分と彼が幼なじみであることや、彼のコネで今の仕事にありつけたということを説明した。加賀刑事は納得したように首を動かしながら聞いていた。私は、迫田警部からは何も聞いていないのかなと少し不思議に思った。これらの話は、さっき警部にはしてあるからだ。

「教師を続けながら、小説をお書きになっていたわけですか」

「そういうことになるね。といっても年に二回、三十枚程度の短編を書いていただけだよ。でも本格的に作家を目指してみようという気になってね、それで思い切って学校を辞める決心をしたわけだ」

「そうですか。それはすごい決断でしたね」加賀刑事は感心したようにいった。自分の経験と照らし合わせているのかもしれない。無論、二十代前半で転職するのと四十歳を目前にしてそれをするのとでは大きな差がある、程度のことは彼にもわかっているはずだった。

「日高邦彦という人は、どういう小説を書いてきた人なんですか」

私は彼の顔を見た。「加賀君は、日高邦彦を知らないのかい」

「すみません。名前を聞いたことはあるんですが、本を読んだことはないんです。最近は特に読書から縁遠くなりました」

「忙しいんだね」

「いや、怠慢なだけです。月に二、三冊は読もうと思っているんですが」彼は頭に手をやった。最低でも月に二、三冊の読書は必要——これは私が国語教師だった頃の口癖だ。加賀君がそれを覚えていて、こういったのかどうかはわからない。

私は日高について簡単に説明をした。デビューして約十年になること、その間に某文学賞を受賞し、今では数少ないベストセラー作家の一人であること、作品は純文学の範疇《はんちゅう》に入るものからエンターテインメントまで多岐にわたっていることなどだ。

「私でも読めるものはありますか」加賀刑事は訊いた。「たとえば推理小説のようなものとか」

「少ないけれど、あるよ」私は答えた。

「参考までにタイトルを教えていただけますか」

「そうだな」

私は、『夜光虫』という題名を教えた。ずいぶん昔に読んだものだから、内容についてはよく覚えていないが、殺人を扱ったものであることは間違いない。

「日高さんは、なぜカナダに住もうと思われたんでしょうか」

「理由はいろいろあるみたいだけど、やっぱり少し疲れたんじゃないかな。海外でしばらくのんびりしたいということは、もう何年も前からいってたんだよ。バンクーバーは、理恵さんがお気に入りの土地らしいね」

「理恵さんというのは奥さんですね。まだずいぶんお若く見えましたが」

「先月入籍したばかりだよ。彼のほうは再婚なんだ」

「そうでしたか。前の奥さんとは離婚を？」

「いや、交通事故で亡くなったんだ。もう五年になるかな」

話しているうちに、話題の主である日高邦彦はこの世にもういないのだという思いが、改めて胸に迫ってきた。彼は一体私に何を相談したかったのだろう。もし私が、大して重要でもない打ち合わせを早々に切り上げて、もっと早くに会いに行っていたら、彼の死を食い止めることができたかもしれない。考えても仕方のないことと思いつつ、悔やまずにはいられなかった。

「小説のモデルにされたということで、藤尾という人が抗議しているという話ですが」加賀君がいった。「ほかに何か、日高さんが面倒に巻き込まれていたようなことはありませんでしたか。小説絡みのことでもいいですし、私生活に関することでも結構ですが」

「さあ、心当たりはないけどなあ」

答えながら私は気づいた。これは事情聴取なのだ。そう思うと、前でハンドルを握っている警官がずっと無言なのも不気味だった。

「ところで」加賀刑事は手帳を開いた。「西崎菜美子《にしざきなみこ》という名前を御存じですか」

「えっ？」

「ほかには小佐野哲司《おさのてつじ》、中根肇《なかねはじめ》という名前もありました」

「ああ、それは」了解して頷いた。「『氷の扉』の登場人物だね。日高が現在月刊誌に連載中の小説だよ」いいながら、あの連載はどうなるのだろうなどと考えた。

「亡くなる直前まで、日高さんは、その小説のお仕事をなさっていたようです」

「そういえばパソコンの電源が入ったままだった」

「あの画面に、その小説が打ち込まれていました」

「なるほど」私はふと思いついたことがあって、加賀刑事に質問した。「小説はどのぐらい書いてあったのかな」

「どのぐらいといいますと？」

「何枚ぐらいという意味だよ」

私は彼に、日高が今夜中に三十枚書かねばならなかったことを話した。

「パソコンの書式が原稿用紙とは違ってましたから正確なところはわかりませんが、少なくとも一枚や二枚ではありません」

「それが何枚あるかによって、犯行時刻が推定できるんじゃないかな。僕が日高家を出た時点では、彼はまだ仕事に手をつけていなかったから」

「そのことは我々も考えています。ただ原稿というのは、一定の速度で書けるというものでもないでしょう」

「それはそうだけど、少なくとも最高スピードには限界があると思うよ」

「日高さんなら、どのぐらいでしょう」

「さあどうかな。前に一度、一時間に四枚程度と話していたことがある」

「すると急いでも六枚ぐらいですか」

「そんなものじゃないかな」

私の言葉を受けて、加賀刑事は少し黙りこんだ。頭の中で何か計算しているらしい。

「何か矛盾《むじゅん》でも？」と私は訊いた。

「さあ、まだわかりません」加賀刑事はかぶりを振った。「パソコンに残っていた小説が、今回の連載分だということも確認していませんし」

「ああそうか。これまでに発表した分を、パソコンの画面に呼び出していただけかもしれないわけだ」

「その点については、明日出版社に問い合わせる予定です」

私は素早く考えを巡らせた。理恵さんの話によると、藤尾美弥子が帰ったのは五時頃らしい。そして私のところへ日高からの電話がかかってきたのが六時過ぎ。その間執筆を続けていれば、五枚や六枚は書いていただろう。問題は、そのほかに何枚あるかだ。

「ええと、こういうことは捜査上の秘密かもしれないが」私は加賀刑事に訊いてみた。「死亡推定時刻というものがあるだろう？　警察では、何時頃と見ているのかな」

「それはたしかに捜査上の秘密です」加賀刑事は苦笑した。「でもまあいいでしょう。詳しいことは解剖の結果次第ですが、五時から七時の間というのが我々の見解です。たぶん大きくは狂っていないはずですよ」

「私が六時過ぎに電話をもらっているわけだから……」

「ええ。そうなると、六時から七時の間ということになりますね」

何ということだ。

つまり日高は、私との電話を終えた直後に殺されたということになるのだ。

「日高は、どういう殺され方をしていたんだろう」

この私の呟《つぶや》きに、加賀刑事は怪訝そうな表情を見せた。死体発見者の台詞にしてはおかしいと思ったのだろう。しかし私は本当に、彼がどういう死に方をしていたのか覚えていないのだ。告白すると、怖くて正視できなかったのである。

そのことを打ち明けると、彼も合点がいったようだった。

「これもまた解剖の結果待ちですが、一口でいうと絞殺《こうさつ》ということになります」

「絞殺というと首を絞められたのか……紐か何かで？」

「電話のコードが首に巻き付いていました」

「なんと……」

「それともう一つ外傷があります。後頭部を殴られたようです。現場に転がっていた真鍮《しんちゅう》製の文鎮《ぶんちん》が凶器になったと見ています」

「後ろから殴って、気を失ったところを絞殺したと」

「今のところ、そう見ています」加賀刑事はそういってから、声をひそめた。「以上のことは発表されると思いますが、それまでは口外なさらないでください」

「ああ、それはもちろん」

やがてパトカーは私のマンションの前に到着した。

「送ってくれてありがとう。助かったよ」私は礼を述べた。

「こちらこそ、いろいろと参考になりました」

「ではこれで」

私は車から降りようとした。だがその途中で、「あっ、ちょっと」と加賀刑事が呼び止めてきた。「小説が載っている雑誌名を教えていただけますか」

それで私は聡明社の月刊誌名をいった。だが彼は首を振った。「野々口先生の小説が載っている雑誌ですよ」――

私は照れ隠しに顔をしかめてから、ややぶっきらぼうに雑誌名をいった。加賀刑事はそれを手帳にメモしていた。

部屋に戻ったが、しばらくぼんやりとソファに座っていた。今日一日の出来事を思い出してみるが、とても現実に起こったこととは思えなかった。一生のうちでも、こんな日は何度もこないだろう。そう思うと、悲劇的な一日であったにも拘《かかわ》らず、眠るのが惜しいような気もした。いや、眠ろうと思っても、今夜はおそらく無理だろう。

そのうちに私は一つのアイデアを思いついた。この体験を記録しない手はない。友人が殺されるというドラマを、自分の手で書き残しておこう。

この手記が書かれることになったいきさつは、そういうものである。真相が暴かれるまで書き続けようと、今は考えている。

4

日高の死は、朝刊に早くも載っていた。昨夜はテレビを見なかったが、この分ではニュースでも大々的に報じられていたのかもしれない。最近は十一時を回ってからでもニュース番組がある。

新聞では、簡単な見出しが一面の端に出ており、事件の詳細は社会面で取り上げられていた。日高家の写真が大きく掲載され、その横に雑誌用に撮影したと思われる日高の顔写真があった。

記事の内容は、事実をほぼ忠実に伝えたものだった。ただし死体発見については、『家の明かりが消えているという知人からの知らせを受け、妻の理恵さんが自宅に戻ったところ、一階にある仕事場で日高さんが倒れていた』となっているだけだから、発見者は理恵さん一人だと読者は誤解するかもしれない。私の名前はどこにも出ていなかった。

記事の伝えるところでは、警察は、流しの犯行と顔見知りの犯行の両面で捜査していく見込みだということだ。玄関の鍵がかかっていたから、たぶん犯人は仕事場の窓から出入りしたのだろうと見られている。

新聞を閉じ、とりあえず朝食の準備をしようと立ち上がった時、チャイムの音がした。時計を見ると、まだ八時過ぎだ。こんな早い時間に人が訪ねてくる予定はない。私は、ふだんは使うことの少ないインターホンの受話器を取った。

「はい」

「あっ、野々口先生ですか」女の声がした。やけに息が乱れている。

「そうですけど」

「朝早く申し訳ございません。××テレビの者なんですが、昨夜の事件についてちょっとお話を伺えませんでしょうか」

驚いた。新聞には名前が出ていなかったが、すでにテレビ局の連中は私が発見者であることを嗅《か》ぎ付けているのだ。

「ええと」対応を考えた。軽率にしゃべるわけにはいかなかった。「どういうことでしょうか」

「昨夜、日高邦彦さんが自宅で殺された事件についてなんです。奥様の理恵さんと一緒に死体を発見されたのが、野々口先生であると聞いているんですが、それは事実なんでしょうか」

たぶんワイドショーの女性レポーターだと思われるが、私のことを先生などと平気で呼べる神経には、ちょっと白けさせられた。

だがともかく、このように尋ねられては嘘をつくわけにもいかなかった。

「ええ、事実です」と私は答えた。

連中の盛り上がる雰囲気が、ドア越しに伝わってきた。

「先生はどういった御用で、日高さんのお宅をお訪ねになったわけですか」

「すみませんが、必要なことはすべて警察に話してあります」

「お屋敷の様子を見て、おかしいと思って理恵さんに連絡されたそうなんですが、具体的にどういったところがおかしいと思われたんですか」

「警察のほうで訊いてください」インターホンを切った。

話には聞いているが、テレビの連中の取材というのは、なるほど無礼なものだ。昨日の今日で、こちらがまだ人前で話などする気になれないことを理解できないのだろうか。

今日は外出しないでおこうと決めた。日高家のことが気になるが、現場に近寄るのは、どうせ無理だろう。

だが牛乳を電子レンジで温めていると、またチャイムが鳴った。

「テレビ局の者ですが、ほんの少しだけお話を伺えませんか」今度は男の声だ。「全国の方が、詳しい情報を知りたがっているんですよ」

日高の死という悲劇がなければ、思わず苦笑してしまいそうな大げさな台詞だ。

「僕はただ見つけただけだから」

「でも日高さんと親しくしておられたのでしょう」

「それはそうだけど、事件について詳しく話すようなことはないよ」

「でもちょっとだけ」男は食い下がった。

私は吐息を吐《つ》いた。いつまでも部屋の前でたむろされたりしたら、近所の人の迷惑になる。目下のところ、それが一番の気掛かりだった。

私はインターホンの受話器を置き、玄関へ出ていった。ドアを開けると、一斉にマイクが差し出された。

結局午前中はインタビュー攻めで潰《つぶ》れてしまい、朝食も満足にとることができなかった。それで昼過ぎになってから、ワイドショーを見ながらインスタントのうどんを食べていると、画面に自分の顔が大写しになったので、思わずむせてしまった。今朝撮られた分が、早速放映されているのだ。

「小学校時代からのお付き合いという話なんですが、野々口さんから見て、日高さんはどういう方でしたか」女性レポーターが、けたたましい声で質問している。

この質問に画面の中の私は、やたら考えこんでいる。自分では気づかなかったが、沈黙の時間が意外に長く、映像としては間延びしていた。たぶん編集が間にあわなかったのだろう。周りのレポーターたちがじれったそうにしているのが、こうして画面を見ているとよくわかる。

「個性の強い男だったと思いますね」画面の中の私が、ようやく言葉を発した。「すごくいい人間だと思うこともあれば、結構冷酷なところもあって驚いたりもした。まあ大抵の人間はそうなのかもしれないけど」

「冷酷というのは、たとえばどんなことがあったんですか」

「たとえば……」そういってすぐに私は首を捻った。「いや、すぐには思い出せないし、そんな話は今ここではしたくありませんね」

　この時私の脳裏にあったのは、日高が猫を殺したことだったが、公共の電波に乗せられる話ではなかった。

「日高さんを殺した犯人に、何かいいたいことはありますか」いくつかやや俗っぽい質問をした後で、女性レポーターがお決まりの台詞をいった。

「特にありません」というのが私の答えだった。レポーターたちはがっかりしたようだ。

　この後はスタジオの司会者が、日高のこれまでの作家活動について解説を始めた。様々な世界を描いてきた背景には、作家自身の複雑な人間関係が横たわっているに違いなく、今回の事件もそういったことから派生しているのではないか——そんなふうに話を持っていきたいようすだった。

　そして最近日高が関わっているトラブルとして、『禁猟地』という作品のことで、モデルとなった男性の遺族が抗議していることをあげていた。もっとも、昨日その遺族である藤尾美弥子が日高家を訪れたことまでは摑んでいないようだ。

　司会者だけでなく、たまたまゲストで参加しているだけのタレントまでもが、日高の死について好き勝手なことをしゃべりだした。私は何だか嫌気がさしてきてテレビのスイッチを切った。大事件について情報を得たければＮＨＫが一番なのだろうが、生憎《あいにく》日高の死は、公共放送が特番を組むような出来事ではないのだ。

電話が鳴った。今日はこれで何度目だろうか。万一仕事に関わることならまずいと思って、必ず受話器を取るのだが、これまでのところすべてマスコミからのものだった。

「はい、野々口ですが」ややぶっきらぼうな口調になった。

「もしもし、日高です」

しっかりとした声は、紛《まぎ》れもなく理恵さんのものだった。

「ああ、これはどうも」こういう場合に何といえばいいのか、咄嗟に思いつかない。「あれからどうなりました」妙な質問だが、こう訊くより仕方がなかった。

「あたしは昨日は実家に泊まりました。いろいろなところへ連絡しなきゃいけないとは思ったんですけど、とてもそんな気力が出なくて」

「そうでしょうね。今はどちらに？」

「自宅にいます。今朝、警察の人から連絡があって、現場を見ながら改めて話を聞きたいということでしたから」

「それは終わったんですか」

「終わりました。警察の人はまだいらっしゃいますけど」

「マスコミがうるさいでしょう」

「ええ。でも出版社の人や、主人と付き合いのあったテレビ関係の人たちが来てくださって対応してくださるので、ずいぶん助かっています」

「そうですか」それはよかったといいかけて、飲み込んだ。昨夜夫を亡くしたばかりの未亡人にいう台詞ではない。

「それより野々口さん、テレビの人に押し掛けられたりして迷惑しておられるんでしょう？　あたし、自分では見ていないんですけど、出版社の人から教えてもらって、それでとても申し訳ないと思ってお電話したんです」

「そうだったんですか。いや、僕のことなら大丈夫です。取材攻勢も一段落しました」

「本当にすみません」

心底から詫《わ》びている口調だった。今この世で最も悲しい人間の一人であるはずなのに、他人のことを思いやれる精神力に私は敬服した。強い女性なのだなあ。改めてそう思う。

「何かお手伝いすることはありませんか。遠慮なくいってくださって結構ですが」

「いえ、主人の親類や、あたしの母も来てくれましたし、大丈夫です」

「そうですか」

日高に二つ年上の兄さんがいたこと、その兄さん夫婦が年老いたおかあさんを引き取っていることなどを私は思い出した。

「でももし何か僕にできることがあったらいってください」

「ありがとうございます。ではこれで失礼させていただきます」

「わざわざどうも」

電話を切った後、しばらく理恵さんのことを考えた。彼女はこれからどうやって生きていくつもりだろう。まだ若いし、実家は運送業を営んでいて経済的には豊かだと聞いているから、生活していく分には困らないだろうが、ショックから立ち直るにはかなり時間がかかるのではないだろうか。何しろ結婚して一ヵ月なのだ。

理恵さんはかつて、日高の小説の熱狂的ファンの一人に過ぎなかった。それがある時仕事を通じて本人と出会う機会があって、それ以来個人的に付き合うようになったのだ。つまり彼女は昨夜、とても大切なものを二つ同時になくしたことになるなと私は思った。一つは夫、そしてもう一つは、作家日高邦彦の新作だ。

そんなことを考えていると、また電話が鳴った。ワイドショーに出てくれないかという依頼だったが、即座に断った。

5

加賀刑事がやってきたのは、夕方の六時過ぎだった。インターホンのチャイムに、またしてもマスコミの連中かとうんざりしながら出てみると、彼だったのだ。ただし一人ではなく、彼より少し若いと思われる、牧村《まきむら》という刑事を連れていた。

「申し訳ありません。一、三お訊きしたいことがありまして」

「そういうこともあるだろうとは思っていたよ。さあ、上がってくれ」

だが加賀刑事は靴を脱ぐそぶりを見せず、「お食事中じゃなかったんですか」と訊いた。

「いや、まだなんだ。何か食べようかと思ってたところではあるんだけど」

「だったら、外で食事しませんか。じつをいいますと、聞き込みに忙しくて、昼飯も食ってないんです。なあ」

加賀刑事に同意を求められ、牧村刑事もおどけた苦笑をこちらに見せた。

「ああ、いいよ。じゃあどこにしようかな。とんかつの旨い店があるけど、そこでもいいかい」

「我々はどこでもいいですけど」そういってから何か思い出したような顔をし、加賀刑事は後方を親指で差した。「この先にファミリーレストランがありましたね。先生が昨日の夜に行かれたというのは、あの店ですか」

「そうだよ。あそこにするかい？」

「そうしていただけますか。あそこなら近いし、コーヒーも飲み放題だし」

「いいですねえ」牧村刑事が調子を合わせるようにいった。

「僕は構わないよ。じゃ、支度をしてくるから」

彼等を待たして服を着替える間、加賀君があのレストランに誘ってきた理由を考えた。何か理由があってのことだろうか。それとも、彼がいうように、単に近くてコーヒーを飲めるからか。

結局答えが見つからぬまま、私は部屋を出ていた。

レストランではえびドリアを注文した。加賀刑事と牧村刑事は、ラムステーキとハンバーグのセットメニューを、それぞれ頼んだ。

「例の小説ですが」ウェイトレスが去ってから加賀刑事が口火を切った。「ほら、日高さんのパソコンに残されていた小説ですよ。『氷の扉』というタイトルの」

「うん、わかっている。あれが昨日書かれたものか、それともすでに発表された分が画面に呼び出されていただけなのか、調べるという話だったね。はっきりしたのかい」

「わかりました。どうやら昨日書かれた分らしいです。聡明社の担当の人に伺ったところ、これまでに連載された分に、見事に繋がるという話でした」

「じゃあ殺される直前まで、がんばって仕事をしていたわけだね」

カナダへの出発が迫っていただけに、日高としても必死だったのだろう。いつもの彼なら、何だかんだと理由をつけて、編集者を待たせることも平気だろうが。

「ただ、ちょっとおかしいことがありましてね」加賀刑事は身を少し乗り出し、右肘をテーブルに載せた。

「おかしいというと?」

「原稿の枚数です。四百字詰めに換算したところ、二十七枚分もありました。執筆を始めたのが、藤尾さんがお帰りになった直後の五時過ぎだとしても、ちょっと多すぎるように思うんです。昨夜野々口先生から伺ったかぎりでは、日高さんの執筆速度は一時間にせいぜい四枚から六枚ということでしたよね」

「二十七枚分か。それはたしかに多いね」

私が日高の家に行ったのが八時だから、仮にその直前まで日高が生きていたとしても、一時間に九枚のペースで書いたことになる。

「すると」と私はいった。「彼が嘘をついたのかもしれないね」

「嘘というと？」

「本当は昨日の昼間の時点で、十枚か二十枚は書いてあったのかもしれない。でも彼特有のポーズで、まだ一枚も書いていないというようなことをいったんじゃないかな」

「出版社の人も、そういう意見でした」

「だろうね」私は頷いた。

「しかし理恵夫人が家を出る時、日高さんは、自分がホテルに行くのはたぶん深夜になるだろうとおっしゃっているんです。ところが実際には遅くとも八時までに、二十七枚書き上げている。『氷の扉』の連載一回分は三十枚前後という話ですから、ほぼ完成ということです。遅れたというならわかるんですが、これほど予定よりも早く仕上がるということはあるんですか」

「あるんじゃないかな。執筆というのは機械的な作業じゃないから、アイデアが浮かびそうにないと、何時間も机に向かったままで一枚も書けないということがある。逆に、ふと閃《ひらめ》いたりすると、あっという間に書けてしまう」

「日高さんにもそういう傾向が？」

「あったね。というより、殆どの作家はそうじゃないのかな」

「そうですか。もちろん自分には、そのへんのことは想像がつかないのですが」加賀刑事は乗り出していた身体を元の位置に戻した。

「枚数にこだわる理由がよくわからないな」と私はいった。「要するに、理恵さんが家を出る時には、まだ小説は出来上がっておらず、死体が見つかった時にはほぼ完成していたというんだろう。つまり日高は殺されるまでの間に、何がしかの仕事をした。ただそれだけのことじゃないのかな」

「そうかもしれません」加賀刑事は頷いたが、まだ得心《とくしん》のいかぬふうでもあった。

刑事というのは、どんな些細《ささい》なことでも粘っこく調べねば気が済まないものらしいなと、かつての後輩教師を見て思った。

ウェイトレスが料理を運んできた。それで少し話が中断した。

「ところで、日高の遺体はどうなったのかな」と私は訊いてみた。「解剖をするとかいってたけど」

「今日、行われました」そういってから加賀刑事は牧村刑事を見た。「君、立ち会ったんじゃなかったっけ」

「いえ、自分は違います。立ち会ったなら、こんなもの食ってません」ハンバーグをフォークで突き刺して、牧村刑事は顔をしかめた。

「それもそうだな」と加賀君も苦笑した。「解剖が何か？」

「いや、死亡推定時刻は判明したのかなと思って」

「自分はまだ解剖所見を詳しくは見ていないのですが、はっきりしているはずです」

「それは正確なものなのかな」

「何に基づいて判定したかによります。たとえば」いいかけて彼はかぶりを振った。「いや、やめておきましょう」

「どうして？」

「えびドリアがまずくなりますよ」私の皿を指していった。

「なるほど」私は頷いた。「それじゃまあ、聞かないでおこう」

それがいいというように加賀刑事は、こっくりと顎を引いた。

食事中は、彼は事件のことは口にしなかった。専《もっぱ》ら、私の書く児童向け読み物について尋ねてきた。最近はどういう傾向のものが読まれるかとか、読書離れについてどう思うかといったところだ。

売れる本というのは文部省の推薦図書になったもので、読書離れは親の影響が強いというようなことを私は話した。

「要するに今の親は自分では全く本を読まないくせに、子供には読ませなきゃいかんと思っているわけだ。ところが自分に読書の習慣がないものだから、何を読ませていいのか見当がつかない。で、結局お役所が薦《すす》める本をあてがうことになる。ところがそんな本はお堅いばかりで少しも面白くないから、子供は本嫌いになる。そういう悪循環が、えんえんと繰り返されていると考えていいんじゃないかな」

こんな私の話を、二人の刑事はステーキを口にしながら、感心したような顔で聞いていた。どこまで真剣に聞いているのかはわからない。

彼等が注文したものはセットメニューだったので、最後にコーヒーがついてきた。私はホットミルクを追加注文した。

「煙草をお吸いになりますよね」灰皿に手を伸ばしながら加賀刑事は訊いた。

「いや、結構」と私は答えた。

「あっ、おやめになったんですか」

「うん、二年ほど前にね。医者に止められた。胃を悪くしたものだから」

「そうですか。それなら禁煙席にすればよかった」彼は灰皿に伸ばしかけていた手を引っ込めた。「作家の方というと、煙草を吸うというイメージがありますから。日高さんもヘビースモーカーだったらしいですね」

「ああそうだね。仕事中の彼の部屋は、まるで虫の駆除でもしているかと思うほどだったよ」

「昨夜、死体を発見した時はどうでしたか。部屋の中に煙は残っていましたか」

「どうだったかな。何しろ動転していたから」ミルクを一口飲んで考えた。「やっぱり、少し煙が残っていたね。うん、そうだったと思う」

「そうですか」加賀刑事もコーヒーカップを口元に運んだ。それから徐《おもむ》ろに手帳を取り出した。「ひとつ確認しておきたいことがあります。八時に日高家に行かれた時のことです」

「うん」

「あの時野々口先生は、インターホンを押しても返答がないし、家の明かりが全部消えているので、理恵夫人が宿泊しているホテルに電話したということでしたね」

「そうだよ」

「その明かりのことなんですが」加賀刑事は真っ直ぐにこちらを見た。「本当に全部消えていましたか」

「消えていたよ。間違いなく」彼の目を見返して答えた。

「でも仕事場の窓は、門のほうからじゃ見えないでしょう。庭のほうに、お回りになったんですか」

「いや、庭には回ってない。でも仕事場に明かりがついてないことは、門のところからちょっと首を伸ばせばわかるんだ」

「そうなんですか」加賀刑事は少し不審そうな顔をした。

「仕事場の窓のすぐ前に、大きな八重桜がある。仕事場に明かりがついていたら、その桜がはっきりと見えるんだよ」

「ああ、なるほど」加賀刑事は牧村刑事と頷き合った。「それでわかりました」

「これがそんなに大きな問題なのかい」

「いえ、単なる確認と考えてください。こういうところを曖昧《あいまい》に報告すると、上司に叱られるものですから」

「厳しいんだね」

「どの世界も同じです」加賀刑事は、かつての教師時代を彷彿《ほうふつ》させる笑顔を見せた。

「ええとそれで、捜査のほうはどうなんだい。何かわかったのかい」二人の刑事を交互に見て、最後に加賀刑事の顔に視線を落ち着かせた。

「まだ始まったばかりですからね」加賀刑事は穏やかにそういった。捜査のことはしゃべれないと、暗に仄《ほの》めかしているのだろう。

「テレビでは、流しの犯行、というのかな。そういう可能性もあるようなことをいってたけど。つまり盗みが目的で侵入したところを日高に見つかり、思わず殺してしまったというわけだ」

「その可能性もゼロではないです」

「というと、あまり考えてはいないのかい」

「そうですね」加賀刑事は隣の後輩をちょっと気にしたようだ。「個人的には、その可能性は少ないと思っています」

「どうして」

「空き巣狙いというのは、ふつう玄関から侵入するんです。それなら万一見つかっても、何とでも言い逃れができますからね。そうして玄関から出ていく。ところが日高家の玄関には、御承知のとおり鍵がかかっていました」

「犯人がわざわざ鍵をかけていくはずはない……か」

「日高家の鍵は三つで、二つは理恵夫人が持っていましたし、残る一つは日高さんのズボンのポケットに入っていました」

「でも窓から出入りする泥棒というのも、いないことはないんだろ」

「いますが、それはかなり計画性の濃い犯行です。事前に下調べをして、家人がいつ留守になるか、通りから目撃されることはないか、そういうことを確認した上で実行するんです」

「そのセンはないのかい」

「だって」加賀刑事は白い歯を覗かせた。「下調べをしたなら、あの家には何も残っていないことがわかっているはずでしょう」

「あ」私は口を開けた。「そうか」と二人の刑事を見た。牧村刑事も薄く笑っていた。

「自分は」といって加賀刑事は、やや躊躇するように言葉を切った。それから改まった口調で続けた。「顔見知りの犯行だと考えています」

「ほう、穏やかじゃないね」

「ここだけの話ということで」彼は人差し指を唇に触れさせた。

「うん、それはもう」私は頷いた。

それから彼は牧村刑事に目くばせした。若い刑事は伝票を持って立ち上がった。

「あっ、いや、ここは僕が」

「いえ」といって加賀刑事は手を出して押し止《とど》めた。「こちらがお誘いしたわけですから」

「でも経費にはならないんだろう」

「なりません。単なる晩飯ですから」

「悪いね」

「お気になさらないでください」

「しかし」私はレジのほうを見た。牧村刑事が勘定を払っている。

やがて彼の様子が少しおかしいことに私は気づいた。レジ係の娘に何か話しかけている。

娘はこちらを見て、彼に何か答えている。

「申し訳ありません」加賀刑事がレジのほうは見ず、顔をこちらに向けたままいった。表情も、これまでと全く変わっていない。「アリバイ確認をさせてもらっています」

「僕の？」

「はい」小さく頷いた。「童子社の大島さんには、すでに確認をとってあります。でも裏付けをとれるところは全部とってしまうというのが、警察のやり方なんです。ご容赦ください」

「それでこの店に」

「同じ時間帯でないと、ウェイトレスが違ってしまいますから」

「なるほどねえ」私は心の底から感心した。

牧村刑事が戻ってきた。加賀刑事は彼に訊いた。「計算はあってたかい？」

「ええ、合ってました」

「それはよかった」そういってから加賀君は私を見て、一瞬目を細めた。

今回の事件のことを記録しているというと、加賀刑事は強い関心を示した。レストランを出て、少し歩いてからのことだった。こんな話を出さなかったら、私のマンションの前で、そのまま別れていたはずだった。

「こんな経験は、たぶん一生しないだろうと思うから、何らかの形で記録しておこうと思ったわけだよ。まあ、作家根性だと思ってもらえばいい」

すると加賀君は少し考えるように黙りこんでから、こういった。

「それを見せていただくわけにはいきませんか」

「見せる？　君にかい？　いやあ、でも人に読ませるつもりで書いたものじゃないから」

「お願いします」彼は頭を下げた。牧村刑事も同じようにしている。

「よしてくれ。道端でそんなことをされたらバツが悪い。それに書いてあることは、すでに君たちに話してあることばかりだよ」

「それでも構いませんから」

「弱ったな」私は頭を搔き、ため息をついた。「じゃあ部屋まで来てくれるかい。それから、ワープロに打ち込んであるものだから、プリントアウトする間、待ってもらわなきゃならないんだけど」

「喜んで」と加賀刑事はいった。

二人の刑事は私の部屋までついてきた。私がプリントアウトを始めると、加賀刑事はそばに来て覗きこんだ。

「これはワープロ専用機ですね」

「そうだよ」

「日高さんの部屋にあったのはパソコンでしたね」

「彼は好奇心旺盛《おうせい》だから」と私はいった。「パソコン通信だとか、ゲームだとか、いろいろとやりたいことがあるみたいだった」

「野々口先生はパソコンをお使いにならないんですか」

「僕はこれで充分だな」

「原稿はいつも取りに来てもらうんですか、出版社の人に」

「いや、大抵ファックスを使うよ。そこにあるだろう」部屋の隅に置いてあるファックス機を指していった。電話回線は一本なので、それにコードレス電話の親機を繋いである。

「でも昨日は取りに来てもらったんですね」加賀刑事が顔を上げていった。心なしか、彼の目の奥に意味あり気な光が宿ったようだ。

犯人は顔見知り――先程彼のいった言葉が思い出された。

「直接会って、打ち合わせしたいことがいろいろとあったから、昨日は特別に来てもらったんだ」

私の答えに彼は黙って頷いていただけで、それ以上は何も訊いてこなかった。

プリントアウトを終えると、それを彼に渡す前に私はいった。

「じつをいうと、少しだけ隠していたことがある」

「そうなんですか」加賀刑事は、あまり驚いてはいないようだった。

「読んでもらえればわかると思うよ。事件には関係ないだろうと思ったし、人に疑いを向けるようなことは口にしたくなかったものだから」

日高が猫を殺した件についてだ。


「わかりました。そういうことはあると思います」

加賀刑事たちはプリントアウトされた手記を受け取ると、何度も礼をいってから帰っていった。


さて。

加賀君たちが帰ってからすぐに、今日の分を書き始めた。つまり彼に渡した分の続きである。これもまた彼は読みたがるかもしれないが、そういうことはなるべく意識せずに書き続けようと思う。そうしなければ意味がない。

6

事件から二日が経っている。日高邦彦の葬儀は、彼の自宅から数キロ離れたところにある寺で行われた。出版関係者などが大勢訪れており、焼香するにもずいぶんと並ばねばならなかった。

そしてここにもやはりテレビ局の連中は来ていた。スタッフもレポーターも一応神妙な顔つきをしてはいるものの、より劇的なシーンを撮ろうと、蛇《へび》のような目をあちらこちらに走らせているのが傍からもわかった。ほんの少しでも涙を見せる弔問客《ちょうもんきゃく》がいようものなら、すかさずカメラを向けるのだった。

私は焼香を済ませると、受付のテントの横に立ち、次々にやってくる弔問客を眺めた。中には芸能人の姿もあった。日高の作品が映画化された時、彼等が出演していたことを私は思い出した。

焼香の後、読経《どきょう》があり、喪主《もしゅ》の挨拶となった。理恵さんは黒いスーツを着て、手に数珠《じゅず》を握りしめたまま、淡々と弔問客たちに礼を述べ、さらに夫への断ち切れぬ思いを語った。静まり返った会場のあちこちで、すすり泣きが聞こえた。

理恵さんの挨拶の中には最後まで、犯人という言葉も、憎いという台詞も出てこなかった。それが逆に彼女の怒りと悲しみを表しているように思われた。

棺《ひつぎ》が運び出され、弔問客たちがぞろぞろと帰り始める頃、私は意外な人物をその中に見つけた。彼女は一人で歩いていた。

彼女が寺を出たところで、私は声をかけた。「藤尾さん」

藤尾美弥子は立ち止まり、振り返った。長い髪がそれに合わせて波打った。

「あなたは……」

「一昨日、日高の部屋でお会いしましたよね」

「はい、覚えてます」

「日高の友人で野々口という者です。付け加えていうなら、あなたのお兄さんの同級生でもあります」

「そうらしいですね。あの日、日高さんから聞きました」

「少しお話をしたいんですが、時間はありませんか」

するとと彼女は腕時計を見て、それから少し遠くに目を向けた。

「人を待たせているんです」

私は彼女の視線の先を見た。薄緑色のライトバンが道路脇に寄せて停められていた。運転席にいるのは若い男で、こちらを向いているのがわかる。

「ご主人ですか」

「いえ、そうじゃないんですけど」

恋人らしいと私は解釈した。

「じゃあここで結構です。いくつか教えていただきたいことがあるんですが」

「なんですか」

「あの日、日高とはどういう話をされたんでしょうか」

「どういうって、これまでと同じです。可能なかぎり本を回収することと、公の場で自分の非を認めていただくことと、内容を兄とは無関係なものに書き直してもらうことをこちらから要求しました。あの方はカナダに行ってしまわれると聞いたので、今後どういう形で誠意を見せていただけるのか、確認しておきたいという気持ちもありました」

「それに対して日高は何と？」

「誠意を持って対応する気持ちに変わりはないけれど、これまでの自分の信念を曲げるつもりもないとおっしゃいました」

「つまり要求には応えられないと」

「暴露趣味からではなく、芸術的に高いものを目指すためなら、ある程度モデルのプライバシーに踏み込むことも仕方がないというお考えのようです」

「でも、あなたは納得されていない」

「もちろんそうです」彼女はかすかに唇を緩めたが、笑顔と呼ぶにはほど遠かった。

「では結局あの日は、物別れということですか」

「カナダで落ち着き次第、必ず連絡するし、何らかの形で話し合いを続けられるようにすると約束してくださいました。出発前でお忙しい様子でしたし、それ以上粘っても仕方がないと思ったものですから、それでとりあえずは了解しました」

日高としても、それ以上のことはいえないだろう。

「それで、そのまま真っ直ぐに帰宅されたわけですか」

「あたしですか？　そうです」

「どこにも寄らず？」

「はい」頷いてから、藤尾美弥子は大きく開いた目で私を見つめた。「アリバイをお尋ねになっているんですか」

「いや、そういうわけでは」私はうつむき、鼻の下を擦《こす》った。しかしこれではアリバイ確認以外の何物でもないなと、自分でもおかしくなった。

彼女はため息をついた。「昨日、刑事さんがみえて、今あなたがお訊きになったのと同じような質問をされました。いえ、もう少し露骨な訊き方でした。日高さんのことを恨んでいたのではないか、というように」

「ははあ」私は彼女の顔を見返した。「で、あなたは何と？」

「恨んでなんかいません、ただ死者を尊重してほしいのだと答えました」

「『禁猟地』は」と私はいった。「そんなに気に入りませんか。お兄さんのことを冒瀆《ぼうとく》していますか」

「誰にだって秘密はあります。それを公開されない権利を持っているはずです。たとえ死んだ人間でも」

「その秘密を、感動的だと考える人間がいた場合はどうですか。その感動を世間に伝えたいと考えることは、そんなに悪ですか」

「感動的？」彼女は私の顔をしげしげと見つめた。そしてゆっくりと首を振った。「少女を暴行した中学生の話が感動的ですか」

「感動の背景として、やむをえず描かなきゃならない場合もあるんです」

彼女はもう一度ため息をついた。明らかに私に見せつけたものだった。

「野々口さんも小説をお書きになっているんですってね」

「はい。子供向けですが」

「そんなに一生懸命日高さんのことを庇《かば》うのは、ご自分も作家だからですか」

私は少し考えてからいった。「そうかもしれません」

「嫌な仕事ですね」彼女は腕時計を見た。「急ぎますのでこれで」踵《きびす》を返すと、待たせてあった車に向かって歩きだした。


マンションに戻ると、郵便受けに一枚のメモが入っていた。

『例のファミリーレストランにいます。電話をください。加賀』

そしてレストランのものと思われる番号が添え書きされていた。

私は部屋で着替えを済ませると、電話はせず、直接レストランに行った。彼は窓際の席で本を読んでいた。本屋のカバーがついているので、表紙は見えない。

私を見ると、加賀刑事はあわてて立ち上がろうとした。私はそれを手で制した。

「いいよ、座ったままで」

「お疲れのところ、すみません」

彼は頭を下げていった。今日、日高の葬儀があったことは知っているようだ。

私はウェイトレスにホットミルクを注文してから腰を下ろした。

「君の目的はわかっているよ。これだろう」上着のポケットから折り畳んだ紙を出し、彼の前に置いた。昨日書いた分だ。家を出る前にプリントアウトしてきたのだ。

「すみません。助かります」彼は手を伸ばし、それを広げようとした。

「悪いけど、ここでは読まないでほしい。昨日渡した分を読んだのならわかると思うけど、君のことも書いてあるんでね、なんとなく照れ臭い」

私がいうと彼もにっこりした。

「それもそうですね。ではこれはこのまま」もう一度紙を折り畳んで、彼は上着の内ポケットに入れた。

「それで」水を飲んでから尋ねた。「少しは参考になるのかな、私の手記なんか」

「なりますね」加賀刑事は即答した。「耳で話を聞くだけではわからない事件の雰囲気のようなものが、文章になっていると、とても把握《はあく》しやすいです。できれば他の事件でも、目撃者や発見者がこんなふうに書いてくれればありがたいと思います」

「それならいいけど」

ウェイトレスがホットミルクを運んできた。私はスプーンを使って、表面に張った薄い膜を取り除いた。

「猫のことはどう思った？」と私は訊いた。

「驚きました」と彼は答えた。「猫の被害のことはよく耳にしますが、だからといってあそこまでやったという話は、今までに聞いたことがありません」

「飼い主の主婦について調べる気かね」

「上司に報告しましたから、すでに別の者が」

「そう」私はミルクを飲んだ。告げ口をしたようで、あまりいい気分ではなかった。「そのほかの部分は、全部君たちに話した内容と同じだと思うけど」

「たしかに」彼は頷いた。「でも細かい部分で、とても参考になるところがありました」

「そんなところあったかな」

「たとえば先生と日高さんが部屋で話をされている部分なんかです。その時日高さんは煙草を一本吸っておられる。そんなことは、先生の手記を読まなければわからなかったことです」

「いや、本当に一本だったかどうかはわからないよ。もしかしたら二本だったかもしれない。とにかく彼が煙草を吸ったことは覚えていたから、ああいうふうに書いただけで」

「いえ、一本なんです」彼は断言した。「間違いなく」

「ふうん」

そのことが事件とどう関係があるのか、私にはわからなかった。刑事には刑事独特の、物の見方というものがあるのかもしれない。

私は葬儀の後、藤尾美弥子と話をしたことを加賀刑事にいった。彼は興味をひかれたようだった。

「結局聞き出せなかったんだけれど、彼女にはアリバイはあるのかな」

「ほかの者が調べていますが、どうやらあるんじゃないかという話です」

「そうなのか。それならもう彼女のことを考える必要はないのかな」

「先生は、彼女を疑っておられるんですか」

「疑うというほどではないけれど、まあとりあえず動機がある人間といえば、彼女ぐらいかなと思う」

「動機というのは、肉親のプライバシーが侵害されたということですね。でも日高さんを殺しても、問題は解決しないでしょう」

「あまりに誠意が見られなかったので、怒りにまかせて行動したということも考えられるんじゃないか」

「しかし彼女が日高家を出た時、日高さんはまだ生きていました」

「いったん辞去してから、引き返したのかもしれない」

「殺すつもりで？」

「そう」私は頷いた。「殺すつもりで」

「でも理恵夫人がまだ家にいますね」

「彼女が出ていくのを待って、忍びこんだのかもしれない」

「理恵夫人が出ていくことを、藤尾美弥子さんは知っていたわけですか」

「ちょっとした会話から察知していたとも考えられるだろう」

加賀刑事はテーブルの上で、両手の指を組んだ。そして両方の親指をくっつけたり、はなしたりした。その動きをしばらくした後でいった。「侵入は玄関から？」

「いや、窓からじゃないか。だって玄関には鍵がかかっている」

「スーツ姿の女性が窓から侵入したわけですか」彼は表情を崩した。「しかもそれを日高さんがぼんやり見ていたと？」

「日高がトイレに立つのを待って忍びこめばいい。そうして彼が戻ってくるのを、ドアの陰で待つ」

「文鎮を持って？」加賀刑事は右の拳を小さく振り上げた。

「そうなるね。そして日高が入ってくるなり」私も右の拳を動かした。「その文鎮を彼の後頭部に振り下ろす」

「なるほど。その後は？」

「ええと」私は一昨日加賀刑事から聞いたことを思い出しながら話を継いだ。「首を絞めたわけだ。電話のコードを使って……だったね。それから逃走した」

「どこから？」

「もちろん窓からだよ。玄関から出たのだとしたら、僕たちが行った時に鍵があいていたはずだから」

「そうなりますね」彼はコーヒーカップに手を伸ばしたが、すでに空になっていることに気づいて、カップをそのまま置いた。「でもなぜ玄関から出ていかなかったんでしょう」

「それはよくわからないけれど、人目につきたくなかったからじゃないか。心理的なものだよ。まあしかし、彼女にアリバイがあるのなら、こんな話も単なる空想ということになってしまうわけだけど」

「ええ、そうですね」と彼はいった。「彼女にはアリバイがありますから、自分も先生の単なる空想として聞かせていただきました」

この彼の台詞は、私には少し意外だった。

「忘れてくれていいよ」

「でも参考になりました。面白い推理だと思います。そのついでといっては何ですが、一つ推理していただけませんか」

「まともな推理をする自信なんてないけど、何かね」

「なぜ犯人は部屋の明かりを消していったのでしょう？」

「それは君」少し考えてから答えた。「留守だと思わせるためだろう。万一誰か来ても、そのまま帰るだろうから、死体の発見を遅らせることができる。実際僕は、家が真っ暗だったものだから、誰もいないと思った」

「すると犯人は死体の発見を遅らせたかったのですか」

「それが犯人の心理というものじゃないのか」

「では」と彼はいった。「なぜパソコンはつけっぱなしだったのでしょう？」

「パソコン？」

「ええ。先生が部屋に入った時、画面が白く光っていた様子が、先生の手記にも書いてありました」

「たしかにそうだけど、パソコンぐらいはつけっぱなしでもいいと思ったんじゃないか」

「昨日、先生と別れてから簡単な実験をしたんです。部屋の明かりを消して、パソコンのモニターをつけてみました。するとあれは結構明るいものなんですよね。窓の外に立つと、カーテン越しにぼうっと透けて見えるぐらいです。もし本当に留守に見せかけたければ、パソコンも切っていっただろうと思うんですが」

「じゃあ切り方がわからなかったんだ。パソコンを触ったことのない者なら、わからないのがふつうだよ」

「でもモニターを消すことはできますよ。スイッチを押せばいいだけですから。もしそれもわからないなら、コンセントを抜けばいい」

「うっかりしたんだろう」と私はいった。

加賀君は私の顔をじっと見て、それから頷いた。

「そうですね。うっかりしたのかもしれません」

それ以上は何ともコメントのしようがなく、私は黙っていた。

時間をとらせて申し訳なかったといって、彼は立ち上がった。

「今日の分も手記にお書きになりますか」

「そのつもりだよ」

「じゃあそれも読ませていただけますね」

「うん、構わないが」

彼はレジのほうに向かいかけて、途中で立ち止まった。

「俺はやっぱり教師には向いていませんでしたか」そう尋ねてきた。私の手記に、そんな意味のことが書かれていたからだろう。

「個人的な意見だよ」と私は答えた。

彼は一度目を伏せ、吐息を一つついてから歩きだした。

加賀君が何を考えているのか、私には全くわからない。

すでに摑んでいることがあるなら、打ち明けてくれればいいと思う。

疑惑の章　加賀恭一郎の記録

今回の事件において私が注目したことの一つは、犯人が凶器として文鎮を使ったということであった。いうまでもなくその文鎮は、日高邦彦の部屋にあったものである。となると犯人は、日高家を訪れた当初は、日高邦彦を殺す意思を持っていなかったということになる。はじめから殺害するつもりであったなら、当然その手段を用意していたはずだと考えられるからである。用意はしていたが、何か都合の悪いことが生じて殺害方法を変更せざるをえなかったという考え方もあるだろうが、変更後に選んだ手段が文鎮による殴打《おうだ》というのは、あまりに計画性に欠けると思われる。やはり犯行は突発的、衝動的なものであったと推理するのが妥当だろう。

だがここで、日高家の戸締まりのことが気になってくる。第一発見者らの証言によると、家の玄関および日高邦彦の仕事部屋のドアには、鍵がかかっていたということである。

この点について日高理恵は次のように述べている。

「五時過ぎに私が家を出る時、玄関には鍵をかけました。主人は仕事場にこもってしまうと、仮に外から誰かが入ってきても、気づかないだろうと心配したからです。でもまさか本当にこんなことになるとは夢にも思いませんでした」

鑑識で指紋を調べた結果では、ドアノブからは日高夫妻のものしか検出されなかったそうである。手袋痕も、布等で拭き取った形跡もないらしい。となると玄関の鍵がかかっていたのは、日高理恵が家を出る時に施錠《せじょう》したままだったからと考えていいのではないか。尚、仕事場の鍵は、犯人によって内側からかけられた可能性が高い。これは玄関の場合とは違って、明らかに指紋の拭き取られた痕跡《こんせき》があるからである。

以上のことから、やはり犯人は窓から侵入したと考えざるをえない。だがそうなると、先程の内容と矛盾が生じてくるように思われる。もともと殺害の意図を持っていなかった犯人が、窓から侵入するだろうか。何かを盗むつもりだったというのは、可能性としては低い。日高家に盗むようなものが何も残っていないことは、仮に当日初めて訪れた者であっても、すぐにわかるはずだからだ。

この矛盾を解決する推理が、じつは一つある。それは犯人が日高家を当日二回訪問したというものである。一度目は本来の目的を果たすために玄関から訪れた。その人物はいったん日高家を辞去した後（正確には辞去したふりをした後）、改めて二度目の訪問を行った。この時その人物はある決意を胸に秘め、窓から侵入したのだ。ある決意とはいうまでもなく、殺意を意味している。その殺意が芽生えた原因は、その前の一回目の訪問時に生じたと考えるべきだろう。

さてそうなると、事件の起こった日、誰が日高家を訪問したかということになる。今のところ判明しているのは二人だ。藤尾美弥子と野々口修《おさむ》である。

我々はこの二人に絞って捜査を行ってみた。だがその結果は、我々の予想に反したものだった。どちらにもアリバイがあったのである。

藤尾美弥子は当日の夕方六時、自宅に戻っている。そのことを証言しているのは、婚約者の中塚忠夫《なかづかただお》と、彼等二人の仲人をすることになっている植田菊雄《うえだきくお》という人物だ。来月に行う予定の、結納《ゆいのう》に関する打ち合わせをしたのだという。植田は中塚の上司であり、藤尾美弥子とは直接の関わりはない。部下の婚約者のために、虚偽の証言をするというのは考えにくいことである。また日高理恵の証言によると、藤尾美弥子が日高家を出たのは五時過ぎだが、日高家から美弥子の自宅までの距離や交通網を考慮すると、彼女が六時に自宅に到着したというのは極めて自然と思われる。藤尾美弥子のアリバイは、まず完璧と見ていいだろう。

次に野々口修である。

この人物について考察する時、多少私的な思いが入ることを否定できない。彼はかつて職場の先輩であり、私の苦《にが》い過去を知る人間の一人である。

しかし個人的な繋がりを捜査に影響させてしまうようでは、この職業においても不適格者といわれなければならないだろう。私はできるかぎり彼と共有している過去を客観視しながら、今回の事件に当たる決意でいる。といっても過去を忘れるつもりはない。それは場合によっては、事件解決の大きな武器となるかもしれないからである。

さて野々口修自身が主張する当日のアリバイは次のとおりだ。

四時三十分頃、藤尾美弥子が来たのを機に日高家を出た。真っ直ぐに帰宅し、六時頃まで仕事をしていた。六時に童子社の編集者である大島幸夫《ゆきお》がやってきて、打ち合わせを開始。少しして日高邦彦より電話があり、相談したいことがあるので、八時に家に来てほしいといわれた。

野々口修は大島と近くのファミリーレストランに入り、食事した後、日高家に向かった。到着したのは、ちょうど八時頃。留守のようなので不審に思い、日高理恵に連絡。理恵が来るまで、近くの喫茶店『洋燈（ランプ）』にてコーヒーを飲みながら待つ。八時四十分頃、日高家に戻ると、日高理恵が到着したところだった。二人で屋内に入り、死体を発見した。

このように整理したかぎりでは、野々口修のアリバイもまた完璧に近いように思われる。童子社の大島も、『洋燈』の店主も、彼の言葉が正しいことを証言している。

ただし全く隙がないというわけでもない。彼のこの供述の中から日高邦彦殺害のチャンスを見つけるとすれば、理恵に電話する前であろう。つまり大島と別れて日高家を訪れた彼は、即座に日高邦彦を殺害、その後いくつかの工作を行った後、何食わぬ表情で被害者の妻に電話したという推理である。

しかしこのシナリオが成り立たないことは法医学が証明してくれている。当日の昼間日高邦彦は、妻との買い物の途中で、ハンバーガーを食べているのだが、それの消化状態から推定される死亡時刻は、午後五時から六時、いくら遅くても七時以降ということはありえないとのことであった。

やはり野々口修のアリバイは完璧だと判断せざるをえないのか。

だが私は正直なところ、犯人は彼ではないかと疑っている。そのきっかけとなったのは、事件当日の夜に彼が発した、なんでもない一言だ。それを聞いた瞬間から、私は彼が犯人である可能性について検討を始めた。直感によって動くのがじつは極めて非効率的であることは承知しているが、今回ばかりは、それにこだわってみたわけだ。

野々口修が今度の事件のことを記録しているというのは、たいへん意外なことであった。仮に彼が犯人であるなら、事件の細部を明らかにするそのような行為は、決してしないはずだと思うからだ。だがその手記を読むうちに、その考えがまるっきり逆であることに気づいた。

手記はじつに整然と書かれている。そして整然と書かれたものは、説得力を持ちがちである。読み進むうちに、その内容が必ずしも真実とはかぎらないのだということを忘れそうになる。しかしそこにこそ、野々口修の狙いが潜んでいるとは考えられないだろうか。

私は想像する。犯人である彼は、なんとか警察の自分への容疑をかわそうと考えていた。彼は時間の問題で自分が疑われることを見越していたのだ。

そんな彼の前に現れたのは、かつて同じ学校で教鞭をとっていた男だった。彼はこの男を利用することにした。偽りの手記を書き、その男に読ませる。教師として未熟だった男は、きっと刑事としても不出来に違いない、このトリックにたやすく騙《だま》されるだろう。

これは邪推だろうか。知り合いだからといって捜査に私情を挟んではならないという意識が強すぎて、かえって真実が見えにくくなっているのだろうか。

だがやがて私は彼の手記に隠された、いくつかの罠《わな》を発見することに成功していた。そしてまた皮肉なことに、彼以外に犯人はいないということを示す重要な状況証拠をも、彼の手による記録から見つけだせたのだった。

壁になっているのは彼のアリバイであった。しかしそれもいってみれば、彼自身が主張しているだけのアリバイという言い方もできるのだった。六時過ぎにかかってきた電話が、本当に日高邦彦からのものだったかどうかは、誰にもわからないのだ。

私は今度の事件に関する、いくつかの疑問や謎を最初から点検していった。そのうちにそれらが、じつに単純な一本の線に繋がることに気づいた。そのヒントもまた、野々口修の手記の中に存在していたのである。

私は自分の組み立てた推理をもう一度見直した後、上司に報告した。我が上司は慎重な性格の持ち主だが、私の考えに同調してくれた。上司もまた最初に会った時の印象から、野々口修が怪しいと睨んでいたようだった。彼の手記には書かれていないことだが、あの事件の夜、彼は異様に興奮し、やたら饒舌《じょうぜつ》になっていたのだ。それらが真犯人の示す表情の一典型であることを、上司も私も了解していた。

「問題は物証だな」

上司はこのようにいった。それについては私も同感だった。自分の推理に自信を持ってはいるが、それが状況証拠のみに基づくものであることを認めねばならない。

さらにもう一つ問題がある。それは動機であった。日高邦彦についてはもちろんのこと、野々口修についてもかなり情報を集めたつもりだが、野々口修が日高を殺す理由は見当たらなかった。いやむしろ仕事の世話をしてもらったという点で、日高は野々口修にとっては恩人ともいえる存在のはずなのだ。

私は自分の記憶の中にある、野々口修という人物の個性について考え直してみた。中学で国語を教えていた頃の彼は、何事につけ冷静で、すべてを決められた手順で、しかもそつなくこなしていくような人物だった。生徒の不祥事《ふしょうじ》という突発的な事態に直面しても、決して取り乱したりはせず、過去の事例などを参考にして、その時点で最も無難だと思われる道を選択する手腕に長《た》けていた。悪くいえば、自分で判断することをしない、マニュアル主義者であった。彼のそうした特徴について、ある女性の英語教師が教えてくれたことがある。

「野々口先生は、本当は教師なんて仕事はしたくないのよ。生徒のことで頭を悩ませたり、余計なことで責任を負いたくないものだから、あんなふうにできるだけクールに物事を処理しようとするんだと思う」

彼女によると野々口教諭は、一刻も早く教師を辞めて、作家になりたいのだということだった。教師仲間の飲み会にもめったに付き合わなかったのは、家で原稿を書いていたかららしい。

結果的には彼女が推察したとおり、野々口修は作家になったが、教師という職業について彼がどう思っていたかはわからない。ただ当時彼が私に、こんなふうにいったことがある。

「教師と生徒の関係なんてのはね、錯覚の上で成り立っているんだ。教師は何かを教えていると錯覚し、生徒は何かを教えられていると錯覚している。そしてその大事なことは、そうやって錯覚しているのがお互いにとって幸せだということだ。真実を見たって、いいことなんか何もないからね。我々のしていることは、教育ごっこにすぎないんだ」

どういう体験に基づいてこのようなことをいったのか、それについてはわからない。

解決の章　野々口修による手記

以下の文章は、加賀刑事の許可を得て書くものである。この部屋を後にする前に、どうしても手記を仕上げておきたいと頼んだところ、特別に認めてくれたのだ。だがこの局面で、何のためにこんなものを書くのか、彼としては理解不能に違いない。たとえ偽りの手記であっても、書き始めた以上は最後まで書きたいというのが作家の本能だといっても、たぶんわかってはくれないだろう。

しかし私としては、この一時間ほどの経験は、書き残すに足るものだと思う。印象深い経験を記録したいというのも、作家の本能だろう。たとえ自らの破滅の記録であっても。

加賀刑事がやってきたのは、本日つまり四月二十一日の午前十時ちょうどである。私はチャイムが鳴った瞬間から、ある予感を抱き始め、来訪者が彼であることを知った時には、その予感が現実になったことを確信した。それでも私は動揺を隠すよう努力しながら彼を迎え入れた。

「突然申し訳ありません。少しお話ししておきたいことがありまして」彼はいつもと変わらぬ穏やかな口調でいった。

「何だい。まあ上がったらどうだい」

「はい、失礼します」

彼をソファに案内し、私は茶を淹《い》れた。どうかおかまいなく、と彼はいった。

「それで、話というのは？」湯飲み茶碗を彼の前に置きながら訊いてみた。その時に自分の手が震えていることに気づいた。顔をあげると、加賀刑事も私の手元を見ていた。

彼は湯飲みには手を出さず、真っ直ぐにこちらの顔を見た。

「じつは非常につらいことを申し上げなければなりません」

「というと？」

私は平静を保《たも》とうとしていた。実際には今にもめまいを起こしそうなほど、心臓の鼓動が速くなっていた。

「先生のお部屋を……この部屋を家宅捜索させていただきたいのです」加賀刑事は苦しげにそういった。

私はまず呆気《あっけ》にとられたような表情を作り、次に笑みを浮かべた。もちろんそれがうまくいったかどうかはわからなかった。加賀君には、私が顔を歪《ゆが》めたようにしか見えなかったかもしれない。

「どういうことだい。僕の部屋を探したって、何も出てこないよ」

「だといいのですが……おそらく何かが出てくるだろうと自分は考えています」

「ちょっと待ってくれ。それはもしかしたらこういうことなのかな。君は日高を殺した犯人は僕だと睨んでいる、そしてその証拠がこの部屋にある……」

加賀刑事は小さく頷いた。「そういうことです」

「驚いたな」と私はいった。首をふり、ため息をついてみせた。精一杯の芝居だ。「あまりにも予想外な話なんで、何とも答えようがない。君が冗談をいっているのでなければ、だけど。でもどうやら冗談でもなさそうだ」

「ええ、先生。残念ながら自分は本気でいっているのです。世話になった先生にこんなことを申し上げるのは大変心苦しいのですが、事実を見つけるのが自分たちの仕事なものですから」

「もちろん君の仕事については理解しているよ。君が怪しいと思ったのなら、たとえ親友でも家族でも、疑うのが義務だろう。しかし正直なところびっくりしているし、戸惑っている。何しろ突然なものだから」

「令状は持ってきています」

「捜索令状というやつかい？　無論そうだろうさ。でもそれを見せてもらう前に、わけを話してはもらえないかね。つまりその……」

「なぜ先生を疑うか、ですか」

「まあそうだね。それとも何の説明もなく、ぱっぱっぱっと家の中を引っかき回してしまうのが君たちのやり方なのかな」

「そういう場合もあります。でも」といって彼は目を伏せた。そして先程は手を出さなかった湯飲みを取り、茶を一口啜った。それからまたこちらを見た。「先生にはお話ししておこうと思います」

「そうしてもらえるとありがたいね。話を聞いたからといって、納得できるかどうかはわからないが」

だがこれについては何も答えず、加賀君は上着のポケットから手帳を取り出した。

「最も重要な点は」と彼はいった。「日高さんの死亡推定時刻です。一応五時から七時の間ということになってはいますが、解剖に当たった医師によると、どう考えても六時以降という可能性は低いということなんです。胃の内容物の消化状態から死亡時刻を割り出す方法は極めて信頼性が高く、今回のようなケースでは、二時間も幅を持たせる必要はないものなんです。ところが日高さんが六時以降も生きていたことを証明している人がいる」

「それが僕、ということかい。そういわれても、本当のことなんだから仕方がない。可能性は低いかもしれないが、自然現象なんだから、二十分や三十分の狂いが出ることだってあるだろう」

「もちろんそうですが、我々としては、その証言の根拠となっているものが電話だという点が引っかかるのです。電話では、本当に当人がかけてきたのかどうか、わかりませんからね」

「あの声は日高だったよ。間違いない」

「でもそれを証明することはできないわけです。先生以外の誰も、その電話には出ていないのですから」

「電話というのは、元来《がんらい》そうしたものだろう。これはもう、信じてくれとしかいいようがない」

「信じたいのですが、それでは裁判官は納得してくれないでしょう」

「たしかに電話に出たのは僕だけだが、そばに人がいたことも忘れてもらっては困るよ。童子社の大島君から、その話は聞かなかったのかい」

「聞きました。先生がおっしゃった時刻に電話があったことを、大島さんは証言しておられます」

「その時の我々の会話を、彼は聞いてなかったのかな」

「いえ、聞いておられました。野々口先生は人と会う約束をしておられたようだ、とおっしゃってました。で、あとからその相手が日高さんであることを知ったという話でした」

「なるほど。しかしそれでは証明にならないというわけだね。全然別人からかかってきた電話を、さも日高からの電話みたいにして僕がしゃべったと、君はそういいたいわけだ」

するると加賀君は眉を寄せ、唇を嚙んでからいった。

「その可能性を捨てる理由はありませんでした」

「どうか捨ててもらいたいが、そういうわけにもいかんらしいね」私はちょっとおどけたふりをした。「でも合点がいかないな。解剖結果から割り出された死亡推定時刻と、多少ずれがあるのかもしれないが、まるっきりずれているというわけでもないだろう。それなのに、はなから僕が嘘をついているときめつけているように聞こえる。何かほかの理由でもあるのかい」

加賀君は、私の目をじっと見てからいった。

「ええ、あります」

「ぜひ聞きたいね」

「煙草です」と彼はいった。

「たばこ?」

「先生もおっしゃってましたね。日高さんはヘビースモーカーだった、仕事中はまるで虫の駆除をしているようだった、と」

「うん、いったけど……それがどうかしたかい」いいながら私は、嫌な予感が黒い煙のように胸に広がるのを感じた。

加賀君はいった。「ところが灰皿には、吸殻が一つあるだけでした」

「えっ……」

「一つだけだったんですよ。日高さんの仕事場の灰皿には、捻りつぶされた吸殻が一つ入っていただけでした。藤尾美弥子さんが帰ったのが五時過ぎで、そのあと仕事をしていたのなら、当然もっと吸殻が増えていたはずです。しかもそのたった一つの吸殻は、仕事中にではなく、野々口先生、あなたと話している時に吸われたものなんですよね。そのことを先生の手記で知りました」

私はいい返すべき言葉が浮かばずに黙っていた。いつだったか加賀刑事が、日高が吸った煙草の本数のことをいっていたことを思い出した。すると彼はあの時すでに、私に疑いの目を向けていたということか。

「つまり」と彼は続けた。「日高さんは一人になってから殺されるまで、ただの一本の煙草も吸っていないことになるのです。これについて理恵夫人に尋ねてみたところ、たとえ三十分でも仕事をしていたのなら、最低でも二本や三本は吸っているはずだという答えでした。しかも仕事のかかり始めは、特に本数が増える傾向があったのだそうです。ところが実際には、一本も吸っていない。これをどう考えればいいでしょう」

私は心の中で自分自身を罵倒《ばとう》し始めていた。自分が吸わないものだから、全く考えつかなかったのだが、気づいて当然のことであった。

「煙草がきれていたんじゃないか」とりあえず私はそういった。「あるいは買い置きがないことに気づいて、節煙していたのかもしれない」

だが加賀刑事がそんなことを見逃しているはずがなかった。

「日高さんは昼間のうちに、四箱買っています。机の上に、十四本残っている箱が一つ、そして引き出しに新品が三箱入っていました」

口調は静かだが、彼の発する一言一言には、じわりじわりとこちらを追いつめる迫力が備わっていた。私は彼が剣道の達人であったことを、ふと思い出した。その瞬間、背中に寒気が走った。

「ふうん、そうだったのか。となると、たしかに吸殻が一つというのは不自然かもしれないね。その理由については、日高本人に訊くしかないわけだ。案外、ちょっと喉《のど》が痛かったとか、そんな理由かもしれないよ」私は必死の防御を試みた。

「もしそうなら、先生の前でも吸わなかったはずでしょう。やはり我々としては、最も妥当《だとう》な推理を選ばざるをえません」

「要するに、もっと早い時刻に殺されたといいたいわけだ」

「かなり早い時刻です。おそらく、理恵夫人が家を出た直後ぐらいでしょう」

「断定的だね」

「煙草の話に戻りますが、日高さんは藤尾美弥子と一緒にいた時も、一本も吸わなかったわけです。この理由はわかっています。理恵夫人によると、以前藤尾美弥子が煙草の煙に不快そうな顔をしていたことから、穏便に話し合いを進めるためにも、今後は彼女の前での煙草を控えたほうがいいだろうと日高さん自身がいっていたそうです」

「ほう……」策士の日高らしい考え方だと私は思った。

「藤尾美弥子との話し合いが、かなりストレスのたまるものであったことは間違いありません。ですから日高さんとしては、彼女が帰った瞬間、飢餓《きが》から解放されたごとく煙草に手を伸ばしたはずなのです。ところがその吸殻がない。吸わなかったのか、吸えなかったのか。自分は後者だと思います」

「殺されたからだと、こういいたいわけだ」

「そうです」彼は顎を引いた。

「でも僕はそれよりもずっと前に日高家を出ているんだよ」

「ええ、わかっています。いったんは玄関をお出になりました。しかしその後、庭を回って、日高さんの仕事場のほうへ行かれたということも考えられます」

「見てきたようなことをいうね」

「これと同様の推理を、先生御自身も述べておられましたね。藤尾美弥子を犯人と仮定したものでした。彼女は日高家を出たようなふりをして、仕事場のほうに回ったんじゃないか。そうおっしゃいました。あれは御自分の行動を述べておられたのではないですか」

私はゆっくりと首を振った。

「参ったな。あれをそんなふうに受け取られるとは、夢にも思わなかった。こちらとしては、君に協力したつもりだったんだが」

　すると加賀刑事は手帳に目を落とし、さらにいった。

「先生が日高家を出た時のことを、先生自身は例の手記で次のようにお書きになっています。『さようならと彼女はいい、私が次の角を曲がるまで見送ってくれた』ここで、『彼女』というのは理恵夫人のことです」

「それがどうかしたのか」

「この文面からだと、理恵夫人は門の外まで先生を見送っていたことになります。その点について夫人にたしかめてみました。彼女の答えは、先生を見送ったのは玄関までだというものでした。この矛盾は、なぜ生じたのでしょうか」

「別に矛盾というほどの大層なものでもないだろう。どちらかの記憶違いだよ」

「そうですか。しかし自分にはそうは思えないのです。わざと先生が事実とは違うことをお書きになったように思えてならないんです。つまりこのように書くことによって、実際には日高家の門を出ずに庭のほうに回ったことを、カムフラージュしようとしたのではないか、と」

　私は吹き出してみせた。

「ばかばかしい。考えすぎの、こじつけだよ。僕が犯人だという結論が先にあるから、そういう見方をしてしまうんだ」

「自分は」と彼はいった。「客観的に判断しているつもりです」

彼の目に、いっとき私は威圧された。そのくせ頭の中では、この男はふだんでも自分のことをさしていう時、「自分」というのだろうかなどと、全く関係のないことを考えていた。

「よしわかった。いいだろう。推理するのは君の勝手だ。勝手ついでに、その後のシナリオも教えてもらいたいものだね。窓の下に潜んだ僕は、その後どうしたのかな。窓から侵入し、いきなり日高を殴ったのかい」

「そうなんですか」加賀刑事はこちらの目を覗き込んできた。

「尋ねているのは、僕のほうだよ」

彼は吐息を一つつき、小さくかぶりを振った。

「犯行の詳細については、本人の口から聞かないと何ともいえません」

「だから僕に白状しろというのかい。そりゃあ僕が犯人なら、今すぐすべてを告白するさ。でも犯人じゃない。君は残念かもしれないけれどね。それより電話の話に戻らないか。僕のところにかかってきた、日高からの電話だ。あれがもし日高からの電話でないというのなら、誰からの電話だったのかな。僕の証言については、マスコミでかなり報道されているから、もしあの日あの時刻に僕のところへ電話してきた人間がほかにいるなら、今頃その人物は警察に知らせているんじゃないか」それから私は、たった今気づいたというふうに人差し指を立てた。「そうか。君は僕に共犯者がいると思っているんだな。そいつが電話してきたのだと」

だが彼は何もいわず部屋の中を見回した。そしてダイニングテーブルの上のコードレスホンを見つけると、それを取ってまた座り直した。

「共犯者なんかは不要ですよ。要するにこの電話が鳴りさえすればいいのです」

「そりゃあそうだろうが、電話をかけなきゃ鳴らないんじゃないのか」そういってから私は手を叩いた。「なるほど。わかったよ。君はこういいたいんだ。あの時僕は携帯電話を隠し持っていた。そして大島君の目を盗んで、この家に電話をかけた。そうだろう?」

「そのやり方でも、この電話を鳴らすことはできますね」と彼はいった。

「しかしそれは無理だよ。僕は携帯電話なんか持っていないし、借りるあてもない。それに……そうだ。もしそういうトリックを使ったのなら、簡単に調べられるんじゃないか。NTTに記録が残っているだろうからね」

「どこから電話がかかってきたのかを調べるのは、非常に難しいんですよ」

「ああ、そうなのか。逆探知というやつだな」

「ただ」と彼はいった。「どこへかけたのかは、簡単に調べることができます。この場合、日高さんがあの日、どこへ電話をかけたかを調べればいいということになります」

「で、調べたのかい」

「はい、調べました」加賀刑事は頷いた。

「ふうん。それで、結果は？」

「六時十三分に、こちらのお宅に発信されたことが記録に残っています」

「ふうん……まあそうだろうね。事実、電話がかかってきたんだからね」いいながらも私は怯《おび》えを増大させつつあった。発信記録を見てなお加賀刑事が疑いを捨てていないということは、そこに仕掛けられたトリックに気づいているに違いないからだ。

加賀刑事は立ち上がり、コードレスホンを元の位置に戻した。だが今度はもうソファには座らなかった。

「日高さんはあの日、原稿が出来上がり次第、ファックスで送るはずでした。ところがあの仕事場にはファクシミリの機械はなかった。なぜなのか、無論先生は御存じですよね」

知らない、と答えようかとも思った。だが私は黙ったままだった。

加賀刑事はいった。「パソコンから直接送れるからです。御存じでしたよね」

「聞いたことはある」と私は短く答えた。

「便利なものですね。手元に、一切紙を残しておく必要がないわけだ。もっとも日高さんは、カナダに行ったら電子メールを使うつもりだったようです。だからその準備をしておくよう、編集部にいっていたそうですよ。そうなれば、電話料金の節約にもなるらしいですね」

「難しいことはわからないな。僕はパソコンには疎《うと》くてね。プリントアウトせずに、直接ファックスにして送れるという話も、日高から聞いただけだから」

「難しくなんかありませんよ。誰にだってできる。しかもいろいろと便利な機能がついています。複数の相手に送ることも面倒じゃないし、送り先を登録しておくこともできます。そして」といって彼は言葉を切り、私を見下ろして続けた。「時刻を設定しておけば、その時刻に自動的に送ることも可能です」

私は彼の顔から目をそらし、うつむいたままいった。

「僕がその機能を使ったというのかい？」

この問いに彼は答えなかった。その必要もないと思ったのだろう。

「例の明かりのことが気になっていたのです」と彼はいった。「先生が日高家に行った時、真っ暗だったという話ですよ。留守に見せかけようとしたのだろうけれど、パソコンだけがつけっぱなしになっていたのは解《げ》せないと、以前にも申し上げましたよね。その答えがようやく見つかりましたよ。パソコンはトリックを生み出す重要な道具だから、動かしておく必要があったのです。先生は日高さんを殺した後、大急ぎでアリバイ工作を始めました。具体的には、パソコンを起動させて適当な文書を呼び出し、その文書が午後六時十三分にファックスでこの部屋に送られるようセットしたのです。次に、家の明かりをすべて消しました。それは、後々の自分の行動を考えた場合、必要なことでした。午後八時にもう一度日高家を訪れた時、家の明かりが消えていたので日高さんは家にはいないと考え、奥さんのいるホテルに電話した、というストーリーにしなければならないからです。部屋に明かりがついていたなら、ホテルに電話する前に窓から覗いてみるのがふつうではないか、と疑われるおそれがあります。先生はあくまでも、死体の発見は理恵夫人と二人でやるつもりだったのです」

一気にここまでしゃべった後、加賀刑事は少し間を置いた。私が何か反論なり、弁明なりすると思ったのかもしれない。しかし私は黙っていた。

「先生はパソコンのCRT画面のこともお考えになったんじゃないでしょうか」彼の解説が再開された。「前にもいいましたように、あのモニターというのも結構明るいものですからね。でもパソコン本体は動かしておかねばならない。そうなるとモニターだけを消すしかないわけですが、じつはそれはかえって危険でした。死体発見の場には理恵夫人もいるわけですが、もし彼女がパソコンは動いているのにモニターに何も映っていないことに気づいたら、警察にトリックを見破られるきっかけになるかもしれませんからね」

私は唾を飲み込もうとしたが、口の中はすでにからからで、それはできなかった。私は加賀刑事の慧眼《けいがん》に、恐ろしさを感じていた。彼はあの時の私の心中を、見事に推察していた。完璧だった。

「おそらく午後五時半頃、先生は日高家を後にされたのだと思います。そして急いで家に帰る途中、童子社の大島さんに電話し、今すぐに原稿を取りに来てもらえないかとおっしゃった。大島さんはあの日、ファックスで原稿を受け取るつもりだったから、大至急といわれて焦《あせ》ったといっておられましたよ。幸い童子社からだと、電車で一本なので、三十分程度で行けたという話でしたが」それから加賀刑事は付け足していった。「このようなことは、先生の手記には書かれていませんでしたね。まるで大島さんが来ることは、ずっと以前から予定されていたような書き方でした」

もちろんわざと書かなかったのだ。答える代わりに私は長い息を吐いた。

「なぜ大島さんを呼んだか。それはもういうまでもありません。アリバイの証人に仕立てるためです。六時十三分、日高さんのパソコンは、あなたにセットされたとおり、この部屋に電話をかけてきました。その時こちらにあるファクシミリは、スイッチが入れられておりません。あなたはコードレスホンに手を伸ばし、電話に出る。その時受話器から聞こえてくるのは、ファックスであることを示す信号音だけです。そこからあなたは、最高の演技をしました。無機質な信号音を聞きながら、さも相手が人間であるかのように会話を始めたのです。大島さんがすっかり騙されていたことからも、その演技がいかに素晴らしいものであったかが想像できます。無事に一人芝居を終えたあなたは、そのまま電話を切りました。日高さんのパソコンは、通信エラーということで、任務を終えます。ここまでくれば、残るあなたの仕事はさほど難しくない。計画した通りに、理恵夫人と一緒に日高さんの死体を見つければいいのです。そして警察が来るまでの間に、夫人の目を盗んで、パソコンの通信記録を消しておいたわけです」

加賀刑事はいつの間にか私のことを、「先生」ではなく、「あなた」と呼ぶようになっていたが、気にはならなかった。むしろそのほうがこの場にはふさわしい。

「見事なトリックだと思います。とても短期間に考え出されたものだとは思えません。でも、一つだけミスがありましたね」

ミス？　なんだろうと私は考えた。

彼はいった。「それは日高家にある本来の電話のほうです。もし日高さんが本当にここへ電話してきたのなら、リダイヤルのボタンを押すと、ここへ繋がるはずですよね」

あっと私は心で叫んでいた。

「しかしここへは繋がらなかったのです。繋がった先は、カナダのバンクーバーでした。理恵夫人によると、事件当日の早朝六時に、日高さん本人が電話しているそうです。リダイヤルされた番号は、その時のものだったと考えられます。もちろんこれは反論可能ではあります。日高さんがここへ電話した後、カナダに電話しようとして番号ボタンを押し、繋がる前に切ったということも考えられないではないですからね。でも時差を考えてわざわざ早朝に起きるような人が、相手が深夜であることも忘れて電話することはないだろうというのが、我々の考えです」

そして加賀刑事は、「以上です」と締めくくった。

それから少し沈黙の時間が流れた。加賀刑事は私の反応を待っていたのかもしれない。だが私は言葉が一つも頭に浮かんでこないという状態にあった。

「反論なさらないのですか」意外そうに彼は訊いてきた。

ここで私はようやく顔をあげた。加賀刑事と目が合った。彼は鋭いが、陰険さを感じさせない目をしていた。容疑者に対する刑事のものではなかったので、私は少しほっとした。

「原稿についての話がないね」と私はいった。「日高のパソコンに入っていた、『氷の扉』の連載だよ。今の君の推理が正しいのだとすると、彼はいつあの原稿を書いたのだろう？」

すると加賀刑事は唇を結んだまま、天井を見上げた。答えに窮《きゅう》しているのではなく、答え方を考慮しているように見えた。

やがて彼は口を開いた。「考えられることは二つあります。一つは、じつは日高さんによって、すでにあれだけの原稿が書かれており、それを知ったあなたが、アリバイ工作に使うことを思いついたというものです」

「もう一つは？」

「もう一つは」そういって彼は私の顔に視線を戻した。「あの原稿は、あなたによって書かれたものだった、というものです。あの日あなたは原稿の入ったフロッピーディスクを持っていて、アリバイ工作のため、急いで日高さんのパソコンに入力したのです」

「大胆な推理だね」

私は笑いを浮かべようとしたが、もはや頬がこわばって動かなかった。

「あの原稿を、出版元である聡明社の山辺さんという人に見てもらったんです。山辺さんの意見は、これは明らかに別人によって書かれたものだ、というものでした。日高さんとは文体が微妙に違うし、改行の仕方など、形式の点でも相違点が多々あるらしいのです」

「すると、君は……」声がかすれた。私は咳払《せきばら》いをした。「私が最初から彼を殺すつもりで、そういう原稿を用意していたというのかい」

「いえ、それはないと思っています。計画的なものなら、もっと文体や形式を似せておいたはずです。それはそんなに難しいことではないそうですからね。それに凶器に文鎮を使っていることや、アリバイ証人として急遽《きゆうきよ》大島さんを呼びつけていることなどから考えても、やはり突発的な犯行であったと思います」

「じゃあ、なぜ僕がそういう原稿を用意していたというんだい」

「問題はそこです。なぜあなたが、『氷の扉』の原稿を持っていったのか。いやそれ以前に、なぜあなたがあの原稿を書いたのか。自分はその点に、非常に関心があるのです。そしてそこにこそ、あなたが日高さんを殺した動機が隠されていると思うのです」

私は目を閉じた。自分がパニックを起こすのを防ぐためだった。

「君の話は全部想像だろ？　証拠は何もないじゃないか」

「そうです。だからこそ家宅捜索をしたいのです。ここまでお話しすれば、我々が何を見つけようとしているかはおわかりでしょう？」

私が黙っていると彼はいった。

「フロッピーディスクです。例の原稿の入ったやつです。あるいはその原稿は、ワープロ本体のハードディスクにも残っているかもしれませんね。いや、おそらく残っているでしょう。計画犯罪のために用意したものなら、即座に処分したでしょうが、そうではないと俺は睨んでいます。あなたはあの原稿を、きっとどこかに残しているはずです」

私は瞼を開いた。加賀君の澄んだ目がこちらを見ていた。その視線を私はなぜか穏《おだ》やかな気持ちで受け入れることができた。ほんの一瞬の黙想が、私の気持ちを落ち着かせていた。

「目的のものが見つかったら、私を逮捕するわけだね」

「そうなると思います。残念ですが」

「その前に」私は訊いた。「自首することは可能かな」

加賀刑事の目が大きく見開かれた。その後で彼は一度だけ首を振った。

「残念ですが、この段階では自首とは見做《みな》されないでしょうね。でも下手に抵抗されることは、得策《とくさく》ではないと思います」

「そうか」私は肩の力を抜いた。絶望しつつ、その半面自分が安堵《あんど》しているのも感じていた。これでもう芝居をしなくていいからだ。「いつから僕のことを疑っていたんだ」と加賀刑事に訊いた。

「最初の夜からです」と彼は答えた。

「最初の夜？　僕が何かまたミスをしたのかい」

「ええ」彼は頷いた。「死亡推定時刻をお尋ねになりました」

「それが何か変かね」

「変ですね。先生は六時過ぎに日高さんと話をして、八時にはもう事件が起きていたことを御存じだったわけだから、当然死亡推定時刻はその間としか考えられません。それなのになぜわざわざ、刑事にお尋ねになったのか」

「あっ……」

「さらに先生は、後日もう一度同じ質問をなさいました。あのファミリーレストランで食事をした時です。その時に確信を持ちました。先生は事件の起きた時刻を知りたいのではない、警察が、死亡推定時刻を何時頃と考えているのかを知りたいのだとね」

「そうだったのか……」

彼のいうとおりだった。私は自分の仕掛けがうまくいっているかどうか、気になって仕方がなかったのだ。

「素晴らしいね」私は加賀刑事に向かってそういった。「たぶん君は、素晴らしい刑事なのだと思うよ」

「ありがとうございます」頭を下げてから、彼は続けていった。「では、出かける支度をしていただけますか。ただ申し訳ないのですが、自分はここで見張らせていただきます。容疑者をうっかり一人にして、取り返しのつかないことになった例が、少なからずありますから」

彼が何のことをいっているのかわかった。

「僕は自殺したりしないよ」笑いながらいった。不思議なことに、ごく自然に笑えた。

「ええ、そのようにお願いします」加賀君もまた自然な笑顔を見せた。

追及の章　加賀恭一郎の独白

野々口修《ののぐちおさむ》を逮捕してから丸四日が経過している。

容疑事実をすべて認めた彼であるが、ただ一つ、固く口を閉ざしていわないことがある。

それは動機についてだ。

なぜ子供の頃からの親友であり、仕事の面でも世話になっている日高邦彦《ひだかくにひこ》を殺さねばならなかったのか、それについては決して語ろうとしないのだ。

「私が殺しました。動機は些細《ささい》なことです。ついかっとなって、衝動的な行動に出たのだと解釈してください」

野々口は取調官に対しても、このようにいうだけである。

ただ私には心当たりがないわけでもなかった。例の『氷の扉』の原稿である。

因みにあの原稿は発見済みだ。予想したとおり、ワープロのハードディスク上に残されていた。また犯行当日、野々口が日高家に持っていったと思われるフロッピーディスクも、机の引き出しから見つかっている。このフロッピーは日高のパソコンと互換性がある。

私は、今回の犯行は計画的なものではなかったと考えている。またこれは捜査本部全体の考えでもある。だがそうすると、あの日野々口が、なぜ都合よく『氷の扉』の次回連載分の入ったフロッピーを持っていたのかという点が問題になってくる。いやそれ以前に、なぜ野々口が、日高の仕事である『氷の扉』の原稿を書いていたのか。

それについて私は、野々口修を逮捕する前から、一つの仮説を立てていた。その仮説の延長線上に、おそらく犯行の動機が横たわっているに違いないと確信している。

あとはその仮説を、野々口自身の口から引き出せばいいだけである。ところが彼は何も語ろうとしない。『氷の扉』の原稿入りフロッピーを持っていたことについては、次のように供述している。

「遊び半分で書いただけです。それで日高を驚かせようとして、持っていったんです。締切に間に合わないようなら、これを使ってもいいぞ、なんてことをいいました。もちろん彼は本気にはしませんでしたがね」

この供述に説得力がないことはいうまでもない。だが彼は、信用しないのはそちらの勝手だといわんばかりである。

そこで我々捜査員は、野々口の部屋を再度捜索してみた。前回は、ワープロの中身と机の引き出しを探しただけだったので、捜索と呼べるほどのものではなかったのだ。

その結果、私の仮説を裏付ける重要な証拠となりそうなものを十八点押収《おうしゅう》した。その内訳は、厚めの大学ノートが八冊、2HDのフロッピーディスクが八枚、原稿用紙を綴《と》じたもの二冊である。

これらを捜査本部で調べたところ、いずれも小説であった。大学ノート、および原稿用紙の筆跡は、野々口本人のものに間違いないことが確認されている。

問題はその小説の内容である。

まず一枚のフロッピーの中から、とんでもないものが見つかった。いや、私としては、予想通りのものだったというべきか。

それは『氷の扉』の原稿である。しかも今回の分ではなく、すでに雑誌で発表されている分すべてが入っていた。

私は聡明社の編集者である山辺《やまべ》氏に、この原稿を見てもらった。彼の意見は次のとおりである。

「間違いなく、『氷の扉』の、これまでの連載分です。ただストーリーは同じなのですが、私がいただいた原稿にはなかった部分がいくつかあります。その逆のケースもあります。それにやはり、言葉の使い方や文体が微妙に違うようです」

つまり今回野々口がアリバイ工作に使った原稿と同じ傾向が、ここにも見られるわけだ。

我々は日高邦彦のこれまでの著作を集め、手分けして読んでいった。余談であるが、これほど集中して読書に励んだのは久しぶりであると、捜査員の多くが苦笑混じりにいった。

そしてその努力の結果、驚くべきことが判明した。野々口修の部屋から押収した八冊の大学ノートに書かれていた、合計五つの長編小説は、日高邦彦がこれまでに発表した作品と、ことごとく内容が一致していたのである。題名や登場人物名が変わっていたり、設定が少し違っていたりはするが、話の流れそのものは同一といって間違いなかった。

また別のフロッピーディスクには、三本の長編小説と二十本の短編小説が書き込まれていたが、長編はいずれも日高作品と一致、短編も十七本がそうであった。一致していなかった短編小説は、いわゆる児童文学の範疇《はんちゅう》に属するもので、野々口修の作品として発表されている。

原稿用紙に書かれた二つの短編小説については、日高作品の中に類似したものは見つかっていない。原稿用紙の古さから推して、かなり昔に書かれたもののようだから、もう少し遡《さかのぼ》って調べれば、何か発見できるかもしれない。

いずれにせよ、これだけ多くの作品の原稿が、その作者以外の住居から見つかったというのは不自然である。またその内容が、発表された作品と完全に同じというわけではなく、少しずつ違っているというのも不可解だ。大学ノートに書かれた作品などは、いたるところに書き込みや訂正の跡があり、推敲《すいこう》途中であることを窺わせる。

ここにいたり、私は自分の仮説が正しかったと断言せざるをえない。

その仮説とはすなわち、「野々口修は日高邦彦のゴーストライターだったのではないか」というものである。そしてその奇妙な関係がこじれた結果、今回の殺人に結びついたのではないかと考えている。

私は取調室で、野々口修にその点を質《ただ》した。だが彼は表情を変えずに否定した。

「違います」

では、あの大学ノートやフロッピーディスクに書かれた小説は何なのかと問うと、瞼《まぶた》を閉じ、沈黙してしまうのであった。同席した先輩の取調官が、いくら強く詰問《きつもん》しても、一切答えようとしない。

そして今日、取り調べ中に予想外のことが起こった。

野々口修が突然腹を押さえて苦しみだしたのである。そのあまりの苦悶ぶりに、私は彼が毒でも隠し持っていて、それを服用したのかと思ったほどだった。

彼はすぐに警察病院に運ばれた。現在は病院のベッドで休んでいる。

私は上司に呼ばれた。そして思いもよらぬことを聞かされた。

野々口修は癌《がん》に冒されているらしい、ということであった。

私が野々口修の入院している病院へ行ったのは、彼が倒れた翌日のことである。彼と会う前に、まず担当の医師から話を聞くことにした。

医師によると、癌細胞は内臓を包む腹膜に転移しているということだった。かなり危険な状態で、早急に手術することになるだろうという話だった。

再発ですかという私の質問に、そういうことでしょうと医師は答えた。

私がこのように尋ねたのには理由がある。調査の結果、野々口修が二年前にも同じ病気で胃の一部を除去する手術を受けていることが判明していたからだった。その影響で彼は数ヵ月間、学校を休んでいる。ただし彼の同僚で、真の病名を知っている者はいなかった模様だ。それを知っていたのは、当時の校長だけらしい。

奇妙なのは、逮捕されるまで、野々口修が病院には行っていなかったことである。自覚症状はあったはずだというのが、医師の意見だ。

手術をすれば助かるのですかと私は質問してみた。理知的な顔つきの医師は、かすかに首を傾《かし》げてからこういった。

「まあ、五分五分でしょうね」

こちらにとっては、もっとも厄介な回答だった。

その後で野々口修の病室を訪ねた。彼には個室が与えられていた。

「逮捕された人間が、監獄に入らず、こんなところでのんびりしているなんてのは、なんだか申し訳ない気がするね」

野々口修は痩せた顔を弱々しく緩《ゆる》めて私を迎えた。この人物の容貌が、私がよく知っていた頃と比べてずっと老《ふ》けて見えたのは、単に時間が過ぎたせいだけではなかったのだと改めて思った。

「気分はどうですか」

「うん、あまりいいとはいえないが、病気の正体を考えると、この程度で上等ではないかと思う」

野々口修は、自分が癌だと知っていることを暗に告げてきた。再発なのだから、彼自身が感付いていても不思議ではない。

私が黙っていると、彼のほうから尋ねてきた。

「それで、僕はいつ起訴されるのかな。あまりぐずぐずしていると、裁判まで生きていられないかもしれないんでね」

冗談でいっているのか、それとも本気なのか、私には判別できなかった。ただ彼がある程度死を覚悟しており、だからこそこういう台詞《せりふ》を吐けるのだということは間違いないだろう。

「起訴はまだです。材料が揃いきってませんから」

「なぜだね。僕は自白しているし、証拠だってある。起訴すれば間違いなく有罪だ。それでいいんじゃないのかい。裁判になってから突然僕が自供を覆《くつがえ》す、なんてことは絶対にないから、安心してくれていいんだがね」

「そういうわけにはいきません。動機がまだ不明です」

「またその話かね」

「先生が話してくださらないかぎり、何度でもお尋ねすることになります」

「動機なんかは特にないんだよ。君もいってたじゃないか。今度の犯行は衝動的なものだろうと。そのとおりなんだ。衝動的に、かっとなって殺した。ただそれだけのことだ。理屈なんかはない」

「ですから、なぜかっとなったのかをお訊きしています。わけもなく、怒りだす人間はいませんからね」

「些細なことだよ。というより、些細なことだったと思う。じつのところ、なぜあんなふうに頭に血が上ったのか、自分でもよく覚えていないんだ。まあそれが逆上というものなんだろうがね。そういうわけで、説明したくてもできないというのが本当のところだよ」

「その説明で私が納得するとお思いですか」

「納得してもらうしかないだろうね」

私は口を閉じ、彼の目を見つめた。すると彼のほうも真正面から見返してきた。その目は自信にあふれているように感じられた。

「先生の部屋から発見されたノートやフロッピーディスクについて、もう一度お伺いします」

話題を変えると、野々口修は途端にげんなりした様子を見せた。

「あれは事件とは何の関係もないよ。おかしなふうに結びつけて考えないでくれ」

「それならば、きちんと説明していただきたいものですね。あれは何なのかを」

「何でもないよ。ただのノートだし、ただのフロッピーだ」

「しかし中身は日高邦彦さんの小説でした。いえ、正確にいうと、日高邦彦さんの小説に酷似した作品でした。まるで下書きのように、ね」

私の言葉に、彼は吹き出した。

「だから僕が彼のゴーストライターだったと？　馬鹿な。考えすぎだよ」

「しかし、そう考えると辻褄《つじつま》は合います」

「僕がもっと辻褄の合う答えを出してあげよう。あれは一種の修業なのだよ。作家を目指す人間は、いろいろと自分なりに修業を行う。僕はね、日高の作品を書き写すことで、その文章リズムや表現方法といったものを学ぼうとしたんだ。これは決して特別なことじゃない。多くの作家の卵がしていることなんだ」

彼のこの説明は、私にとって意外なものではなかった。日高邦彦の担当編集者も、同じような推理を述べていたからである。ただしその編集者は、それにしても疑問点が三つあるといった。第一点は、見つかった原稿が日高邦彦のものと同一ではなく、微妙に違っている部分があるということ。第二点は、いくら修業のためとはいえ、これほど大量に書き写すのは不自然だということ。そして第三点は、日高邦彦は売れっ子ではあるが、手本にするほど文章がうまいわけではないということだった。

そこで私はこの三点について野々口修に問い質してみた。すると彼は顔色を変えることもなく、次のようにいった。

「それについては、すべて論理的に答えることができるよ。じつは、最初の頃は単純に書き写すだけだったんだが、そのうちにそれだけではあきたらなくなってきたわけだ。自分ならこう書く、こう表現するといったものが頭に浮かんだ場合は、それを書いてみることにした。わかるかい？　日高の文章をお手本にしつつ、もっといいものを生み出そうというのが、この修業の狙いだったのだよ。独身だし、家に帰ってからすることもないから、ただひたすらとしかいいようがないね。大量に書き写した点については、長く修業をしていたから作家修業に明け暮れたということだよ。最後の、日高の文章がうまいわけではないという点については、主観の相違といいたいな。僕は彼の文章を買っている。技巧的ではないかもしれないが、簡潔でわかりやすい、とてもいい文章だよ。あれだけ多くの読者を摑んでいたことが、その証明にもなると思うがね」

野々口修のこの説明は、なるほど一応の筋は通っているのだった。だがもしこれが本当ならば、なぜもっと早く話さなかったのかという疑問が生じてくる。病気で倒れるまで、彼はこの件については黙秘を続けていたのだ。たまたま入院する羽目になり、取り調べられることがなかったので、その間に言い訳を模索していたのではないかというのが私の推理である。ただし、現時点ではそれを証明することは難しい。

ここで私は、新たに見つかった証拠について触れることにした。それは野々口修の机の引き出しに入っていた数枚のメモである。そこには何かの物語の粗筋と思われるものが、走り書きしてあった。私はそこに出てくる登場人物の名前から、それが日高邦彦が連載中の『氷の扉』であることを知った。ただし、これまでに発表された分の内容ではない。どうやら、『氷の扉』の今後の展開であるように思われた。

「なぜあなたが、『氷の扉』の次の展開を書いておられたのか。それについて説明していただけますか」

このように私は野々口修に訊いた。彼は答えた。

「あれもやはり僕にとっては修業なんだよ。次の展開を自分なりに考えてみるというのは、読者なら誰もが無意識にしているものだろう？　僕はそれをもう少し積極的に、形にしているというだけのことさ。特別なことと考える必要はないよ」

「あなたはすでに教師をお辞めになり、プロの作家として歩みだしておられるじゃないですか。それなのに、まだそういう修業が必要なんですか。自分の原稿を書く時間を犠牲にしてまで」

「からかわないでくれ。僕はまだプロといってもらえる段階ではないよ。もっと腕を磨かなければならない。それに時間はたっぷりあるんだ。何しろ仕事がこないからね」

野々口修の言葉は、相変わらず私を納得させるものではなかった。そんな思いが顔に出たのだろう。彼はこんなふうにいった。

「君は僕を日高のゴーストライターに仕立て上げたいらしいが、それは買いかぶりというものだよ。僕にはとてもそんな才能はない。むしろ君の話を聞いていて、それが本当であったならどんなに素晴らしいだろうと思っている。もし君の推理通りであったなら、僕は大声で叫んでいるだろうね。あれらの作品は全部僕が書いたものなんだ、真の作者は野々口修なんだ、とね。でも残念ながら僕は書いていない。もし僕が書いたものなら、自分の名前で発表するよ。日高の名前を使う必要なんか全くない。そうは思わないかね」

「それは思います。だから不思議なのです」

「何も不思議なことはないさ。君の推理が見当外れだから、おかしな結論に行き着いてしまっただけだ。難しく考えすぎなんだよ」

「私はそうは思いません」

「頼むからそう思ってくれ。で、この話はもうこれっきりにしてほしい。そして手っ取り早く起訴してくれ。動機なんかはどうだっていい。君の好きなように報告書に書けばいいさ」

野々口修は投げやりともいえる口調でいった。

病室を出た後、私は彼とのやりとりを反芻した。どのように考えても、彼の供述には合点のいかないことが多かった。しかし彼のいうように、私の推理に欠陥があるのもたしかだった。

もし彼が日高邦彦のゴーストライターだったとして、なぜそんなことをしなければならなかったのか。

日高邦彦が売れっ子になっていたので、全くの新人の名前で出すよりもたくさん本が売れると思ったのか。しかし日高が売れるきっかけになった作品自体、野々口修によって書かれたものであるはずなのだ。となると、その作品で野々口修自身がデビューしていてもよかったのではないか。

教師との兼業になるので、とりあえずは名前を出さないことにしたのか。いや、それもおかしい。副業で作家をしているからといって、教師が学校に居辛くなるということは、私の知るかぎりではないからだ。それに野々口修なら、どちらかを選ぶかということになれば、迷わず教師の看板を捨てていただろう。

また彼自身もいっていたように、彼がゴーストライターであったなら、そのことを現時点で否定するというのも不可解だった。日高邦彦の数々の名作の真の作者だったということは、彼にとって名誉に繋がるはずだからだ。

となると、やはり野々口修はゴーストライターではないのか。彼の部屋から発見された数々のノートやフロッピー等は、彼自身が供述する以上の意味は持たないのか。

そんなはずはない、と私は断言する。

私は野々口修という人物について、多少の予備知識を持っている。それによれば、彼は極めてプライドが高く、自信家でもあった。作家になるためとはいえ、誰かの作品を手本にして修業していたというのは、到底ありそうもなかった。

本部に戻り、私は野々口修とのやりとりを上司に伝えた。迫田《さこだ》警部は終始渋い顔つきで私の報告を聞くことになった。

「なぜ野々口は動機を隠そうとするのだろう」

報告を聞き終えた後で、上司はこのようにいった。

「わかりません。殺人の容疑事実を認めることはできても、動機は話せないというからには、そこに余程の秘密があると考えるべきだと思いますが」

「やはり日高の小説が関係していると見るべきかな」

「自分はそう思います」

「野々口修が真の作者だったというわけか。しかし本人が否定しているのではな」

警部は明らかに、この件について手間取ることを嫌がっていた。じつは一部のマスコミが、どこから嗅ぎつけたのか、野々口修が日高邦彦のゴーストライターであった可能性について、捜査本部に問い合わせてきているのだった。無論当局としては明言を避けている。だが早ければ明日の朝刊にでも、その情報が掲載されるかもしれなかった。そうなればまた問い合わせの電話に煩わされることになるだろう。

「口論の末に、かっとなって殺したといっているが、その口論の内容すらわからんのでは手の打ちようがない。いっそのこと、本当の動機は話さなくていいから、作家の才能を発揮して適当に話を作ってくれないかとも思うが、裁判の席で辻褄の合わんことをいいだされても困るしな」

「口論の末、衝動的に殺したというのは、違うと思います。野々口修は日高邦彦の家をいったん出てから、庭を通って仕事場の窓から侵入しているのです。この時点で彼には殺意があったわけです。やはりその前の日高とのやりとりの中で、何か具体的な動機が芽生えていたと見るべきではないでしょうか」

「そこで二人がどんな話をしたか、だな」

「野々口修の手記には、当たり障りのない会話を交わしただけのように描かれていますが、自分には今後の創作活動に関する話し合いがあったように思われます」

日高邦彦はカナダに居住することになっていた。もし野々口修がゴーストライターであったなら、仕事の進め方において、いろいろと問題点が出てくるはずである。それについて打ち合わせをしているうちに、野々口修のほうに不満が生じたのではないか。

「するとゴーストライターを続ける条件面での話かな」

「そうかもしれません」

野々口修の銀行口座については、すでに調べがついている。端的にいえば、日高邦彦から定期的に金が振り込まれていたという形跡はない。しかしこれは現金による授受があったと考えれば解決する。

「日高と野々口の過去について、もう少し調べたほうがよさそうだな」

警部は結論づけるようにいった。私も同感だった。

この日のうちに私は、同僚の刑事と二人で、日高理恵《りえ》に会いにいくことにした。彼女は、夫が殺されていた自宅ではなく、三鷹《みたか》にある実家のほうに帰っていた。野々口修を逮捕して以来、彼女と会うのは初めてだった。野々口逮捕に至った経過などについては、上司のほうから電話で連絡がなされているが、ゴーストライターのことなどは何も知らせていないはずだった。おそらくマスコミから問い合わせの電話がきたりして、迷惑を被っているに違いなかった。彼女のほうこそ、こちらに対して質問したいことが山のようにあるだろうと私は想像していた。

私はこれまでの経緯をもう一度簡単に説明した後、野々口修の部屋から見つかった原稿のことを話した。日高理恵はさすがに驚いたようだ。

野々口が、日高邦彦の小説と内容が酷似した原稿を所持していた理由について、何か心当たりはないかと私は尋ねてみた。

まったくわけがわかりません、というのが彼女の答えだった。

「主人が誰かから小説のアイデアをもらってたとか、他人の作品を下敷きにしていたとか、そんなことは絶対になかったと思います。だっていつも小説のアイデアを捻《ひね》りだすのに、とても苦労していたんですよ。ましてやゴーストライターに仕事をさせていたなんて……信じられません」

日高理恵の口調は穏やかであったが、その目には怒りが滲《にじ》んでいた。

だが私は彼女の話を鵜呑《の》みにする気にはなれなかった。彼女は日高邦彦と結婚して、まだわずか一ヵ月なのだ。彼についてすべてを知り尽くしているとは言い難いだろう。

すると私のそういう考えを察知したのだろうか、日高理恵は続けてこんな話をした。

「結婚してからの期間が短かったことを気にしておられるのなら、それは間違いです。だって私、主人の担当だったこともあるんですから」

それは我々もすでに確認していることだった。彼女は以前某出版社に勤めていて、それがきっかけで日高邦彦と出会ったらしい。

「あの頃は二人で、今度はどういう作品にしようかということを、ものすごく話し合いました。結果的に私が担当したのは長編小説一作きりでしたけど、それにしても二人の話し合いがなければ生まれなかった作品です。だから野々口さんが関与する余地なんて、全然なかったはずなんです」

「それはなんという作品ですか」

「『夜光虫』という作品です。昨年、出版されました」

私はその作品を読んでいなかったので、同行してきた刑事に、その作品について知っているかどうかを尋ねてみた。今度の捜査の関係上、多くの刑事が日高邦彦の小説には、何らかの形で目を通しているのだ。

彼の返事は明瞭で、しかも興味深いものだった。『夜光虫』は、野々口修のノートやフロッピーディスクの中に、内容の一致した原稿が見つからなかった作品の一つだという。

こうした作品は、じつはほかにもたくさんある。一つの特徴として、日高邦彦がデビューしてから三年目ぐらいまでの作品はそうである。またそれ以後の作品でも半分近くは、それに該当する原稿が野々口の部屋から見つかっていない。これらのことから私は、日高邦彦は野々口修というゴーストライターを持ちつつ、自分でも作品を書いていたのではないかと考えている。

だから日高理恵のいう、「二人の話し合いがなければ生まれなかった作品」という小説が存在していても、少しもおかしくはないわけである。

私は質問の内容を少し変え、では野々口修が日高邦彦を殺したことで、その動機について何か思い当たることはないかと尋ねてみた。

「それについては、ずっと考えています。でも本当に何も思い浮かばないんです。どうして野々口さんが主人を……。じつをいうと、あの人が犯人だという話自体、まだ信じられない気持ちです。だってとても親しくしていたんですよ。あの二人が喧嘩をしたり、口論するのを見たことがありません。何かの間違いじゃないかって、今も思っているんです」

彼女の表情から芝居じみたものは感じられなかった。

帰り際になって、日高理恵は私に一冊の本をくれた。灰色の地に金粉をまぶしたような装丁のその本は、『夜光虫』の単行本だった。これを読んで、夫の実力に疑いを持つようなことはやめてほしいという意味なのかもしれない。

その夜から私はこの本を読み始めた。そういえば私が野々口修に、日高邦彦の著作の中に推理小説のようなものはあるのかと尋ねた時、彼はこの作品名を挙げたのだった。何らかの意図があったのかどうかはわからない。うがった見方をすれば、わざと自分が関与していない作品を取り上げたという考え方もできる。

『夜光虫』は、年老いた男と彼の若い妻の話だった。男は画家で、妻は彼のモデルでもある。画家は妻が不貞をはたらいているのではないかと気をもんでいる。このあたりはありふれた通俗小説風だ。ところがこの妻が、じつは二重人格者であり、そのことを彼が知るというところから、物語は急展開し始める。彼女の人格のどちらかには若い恋人がおり、二人で画家を殺すことをたくらんでいることが明らかになったりするのだ。ところがもう一方の人格は画家に対して忠実であり、彼のことを心の底から愛してくれているらしい。画家は彼女を病院に連れていくことを検討する。するとある時机の上にこんなメモが置いてあった。

「精神科医によって殺されるのは『彼女』か『私』か」

つまり病気が治った時に、彼を愛するほうの人格が残っているとはかぎらないという意味だ。このメモを残したのは、無論悪魔の妻のほうだろう。

苦悶する彼は、夜な夜な自分が殺される夢を見る。天使の顔をした妻が、彼に微笑《ほほえ》みかけた後、寝室の窓を開けるのだ。するとそこから男が入ってくる。男はナイフを持っていて彼に襲いかかるが、その直後男の姿は妻に変わる——そういう夢だ。

最後には本当に命を狙われることになるのだが、正当防衛という形で、画家のほうが妻を刺し殺してしまう。そしてそこから彼の新たな苦悩が始まる。殺す直前、彼女の人格が変わったように思えるからだ。自分が殺したのは天使だったか、悪魔だったか。答えは永遠の謎だ。

粗筋《あらすじ》だけをまとめるとこのようになってしまうが、読解力のある人間が読めば、もっと別の、おそらく高度な解釈をするのだろう。老いてからの性欲だとか、芸術家の中に潜む醜い心なども、きちんと汲み取っていく必要があるのかもしれない。だが国語が苦手だった私には、行間を読むということはできないし、表現力の優劣なども判定できなかった。

日高理恵には悪いが、あまり面白くなかったというのが率直な感想だ。

ここで二人の略歴を見比べてみる。

日高邦彦は、某私立大学の系列高校に入り、そのまま大学の文学部哲学科に進んだ。そこを卒業後は、広告代理店、出版社と勤めを変え、その間に応募した短編小説で新人賞を受賞したのをきっかけに作家活動を始める。それが約十年前だ。それから三年ほどは大して本も売れなかったが、四年目に『燃えない炎』という作品で文学賞を受賞。それ以後、人気作家への道を歩み始めている。

一方野々口修は、日高とは別の私立高校に入り、一浪した後で国立大学のこちらも文学部に合格した。専攻は国文科。教職課程をとり、卒業後に公立中学へ赴任した。今年辞職するまで、三つの学校で教師をとっている。彼と私が同じ職場になったのは、彼にとっては二つ目の学校である。

野々口修が作家としてデビューしたのは三年前である。年に二回発行される児童向けの小説雑誌に、三十枚の原稿を書いたのだ。ただし彼の名前で発行された単行本は、まだ一冊もない。

別々の道を歩んでいた二人が再会したのは、野々口修によれば七年ほど前らしい。小説雑誌などで日高の名前を見掛けるようになり、懐かしくなって訪ねていったのがきっかけだという。

これは本当ではないか、というのが私の見方である。前述のとおり、それから約一年後に日高は文学賞をとるわけだが、受賞作の『燃えない炎』は、例の野々口の原稿と内容が一致している最初の本なのだ。野々口との再会が日高に幸運をもたらした、と考えることには無理がないように思える。

私は『燃えない炎』を出版している会社に行き、当時の担当編集者から話を聞くことにした。その人は三《み》村《むら》という中年の腰の低い人物で、現在は小説雑誌の編集長に出世していた。

私の質問のポイントは一つだった。つまり日高邦彦があの作品を書いたことは、それまでの彼の実績から考えて予想しうるものだったのか、それとも彼にしては突然上出来の作品を書いたと思われているのかということだ。

すると三村氏はこの質問に答える前に、次のように訊いてきた。

「それは最近噂になっている、ゴーストライター説の裏付け捜査でしょうか」

やや神経質になっているのがわかった。彼等としては、死んだとはいえ、日高邦彦の名前に傷をつけるわけにはいかないのだろう。

「説といえるほど、根拠のあるものではないんです。ただ確認だけはしておきたいと思いまして」

「根拠もないのに、そういう突飛な話が出てくるとは思えませんがね」

三村氏は皮肉を一言入れてから、こちらの質問に答えてくれた。

「結論からいいますと、『燃えない炎』が日高さんにとって分岐点になったことはたしかです。あの作品でひと皮剝《む》けましたね。化けた、という人もいますが」

「するとそれまでの作品と比べて、格段に優れていたというわけですか」

「まあそうなりますが、私としては、さほど予想外ということはなかったですね。あの方は元々パワーのある作家ではあったのです。ところが荒削り《あらけず》すぎて、読者がついていけないことが多かったのです。意図が伝わらないとでもいいますか。その点『燃えない炎』は、非常にうまくまとまっています。お読みになりましたか？」

「読みました。いい話でした」

「そうでしょう。私は今でもあの作品が、日高さんのベストワンだと思っていますよ」

『燃えない炎』は、ふつうのサラリーマンだった男が、出張先で見た花火の美しさに魅せられて、花火師になる話だ。ストーリーも面白いが、花火の描写が特に見事だった。

「あれは書き下ろし作品でしたね。連載とかではなく」

「そうです」

「日高さんが書き始められる前に、打ち合わせはなさいましたか」

「それはもちろんしました。いつも、どの作家ともします」

「その時日高さんとは、どういったことを話し合われたのですか」

「まず内容についてです。テーマだとかストーリー、それから主人公の人物像などです」

「二人で考えるわけですか」

「いや、基本的にはすべて日高さんに考えていただきます。当然でしょう。あちらが作家なんですから。こちらは作家の話を聞いて、意見を述べる程度です」

「たとえば主人公が花火師という設定ですが、これも日高さん御自身のアイデアですか」

「もちろんです」

「それを聞いて、どうお感じになられましたか?」

「どう、とは?」

「いかにも日高さんらしいアイデアだと思いましたか」

「別にそうは思いませんでした。といって、意外でもなかったですよ。花火師について書いている作家は少なくありませんから」

「三村さんがアドバイスをされて、その結果内容が変わった部分というのは、ありませんか」

「大きな部分ではありません。完成した原稿を見て、疑問点があった場合などは、指摘します。でもそれをどう直すかは、すべて作家の仕事です」

「最後にお伺いします。もし日高さんが他人の作品を、自分の言葉、自分の表現で書き直した場合、それを読んであなたは、それが別の人間の作品であると見抜けますか」

三村氏はしばらく考えて答えた。

「正直いいますと、見抜けません。その作家の作品であるかどうかを知る手掛かりは、言葉遣いや表現ですからね」

しかし彼は次のように付け加えることも忘れなかった。

「でもね刑事さん。『燃えない炎』は、間違いなく日高さん本人の作品ですよ。執筆中にも何度か会いましたが、彼は常に悩んでいました。今にも挫折《ざせつ》しそうになったこともあります。他人の小説を下敷きにしていたのなら、あんなに苦しむ必要はなかったはずです」

私はこれについては敢えて何もいわず、礼をいって席をたった。が、頭の中では、反論が出来上がっていた。

それは、辛い時や苦しい時に楽しそうに振舞うのは困難だが、その逆の芝居は大して難しくないというものだった。

私のゴーストライター説は揺らがなかった。

犯罪の陰に女あり、とよくいわれる。だが今回の事件においては、野々口修の女性関係について、さほど突っ込んだ調査はなされなかった。何となく、そうした話とは無縁だろうという空気が、捜査陣の間に漂っていたからだ。あるいはそれは、野々口自身が持つ雰囲気に影響された結果かもしれなかった。彼は特に醜くはないが、彼に寄り添う女性の影を想像するのは難しい容姿をしていた。

ところがそれは見込み違いだった。彼にもどうやら特別な関係にあった女性がいたようである。その手掛かりを発見したのは、野々口修の部屋を改めて調べ直していた捜査グループだ。

手掛かりは三つあった。一つ目はエプロンである。チェック柄で、明らかに女性用と思われるデザインのエプロンが、野々口修の整理箪笥《だんす》の引き出しに、洗濯されアイロンをかけた状態で入れられていた。

たまに部屋に来た女性が、彼のために家事をする時に使用していたのではないか、と我々は考えている。

二つ目は金のネックレスだ。こちらはまだケースごと包装紙に包まれたままだった。世界的に有名な宝石店の品である。誰かにプレゼントしようとして、そのままになっているという印象を受ける。

そして三つ目は、旅行の申込書だった。それは小さく折り畳まれ、ネックレスの包みと一緒に、小物入れの中に納められていた。書類は某旅行代理店のもので、その内容によると、野々口修は沖縄旅行を申し込もうとしていたようだ。申し込みの日付は七年前の五月十日となっている。出発予定日は七月三十日だから、夏休みを利用して旅行するつもりだったらしい。

問題は、参加者の氏名欄である。そこには野々口修という名前と並んで、野々口初子とあった。年齢は二十九歳。

この女性については、すでに調べが済んでいた。結論をいうと、こういう名前の女性は存在しない。正確にいうと、野々口修の親戚にも家族にも、この名の人物はいないのだ。夫婦と偽《いつわ》って、どこかの女性を連れていこうとしたと考えるのが妥当だった。

これら三つの手掛かりから推定できることは、野々口修には少なくとも七年前には恋人と呼べる相手がいて、現在その相手との仲がどうなっているのかは不明にしろ、彼のほうは未だにその女性に対して好意を抱いているらしいということである。そうでなければ、思い出の品を大切にとっておく、ということはありえない。

私は上司に、この女性について調べてみることを申し出た。この女性が今回の事件に関係しているかどうかはわからない。だが七年前といえば、日高邦彦が『燃えない炎』を発表する一年前である。その頃野々口修に何があったのか、この女性に会えばわかるような気がしたのだ。

まず私は野々口本人に訊いてみることにした。病室のベッドで上半身だけを起こした彼に、エプロンやネックレス、それから旅行申込書が発見されたことを話した。

「あのエプロンが誰のもので、ネックレスは誰にプレゼントするつもりで、誰と沖縄に行くつもりだったかを話していただきたいのです」

この話題に対して野々口修は、これまでとはまた違った拒絶の態度を示した。すなわち、明らかに狼狽《ろうばい》していたのである。

「そのことが今度の事件と、どういう関係があるのかね。たしかに僕は人を殺した犯人で、その罪を償わなければならない立場ではあるが、事件と無関係なプライバシーまで公表しなければならないのかい」

「公表しろとはいっていません。私にだけ話してくだされればいいのです。もし捜査の結果、事件と無関係であることが判明すれば、二度とこのような質問はいたしませんし、もちろん報道機関に発表することもしません。また、相手の女性に迷惑をかけないことは、私が保証します」

「事件とは関係がない。僕がいうんだから間違いない」

「ならば、あっさり教えてくださったほうがいいと思います。先生にそのような態度をとられますと、こちらとしては勘繰らざるをえません。そして我々が勘繰るということは、徹底的に調べるということを意味します。我々が徹底的に調べれば、大抵《たいてい》のことはわかります。ただ、捜査員が動けば、マスコミが嗅ぎつける確率も高くなります。それは先生にとっても、あまり歓迎することではないと思うのですが」

しかし野々口修は、その女性の名前をいおうとはしなかった。その代わりに、捜査のやり方にクレームをつけてきた。

「とにかく、これ以上部屋の中をひっかきまわさないでもらいたいね。中には、人から預かった大事な本なんかもあるんだから」

医師によって面会時間が制限されていることもあり、このあたりで私は病室を後にするしかなかった。

だが収穫はあった。謎の女性が誰かを調べることは、今回の事件の真相を解明する上で無意味ではないと確信が持てたからである。

さて、ではどのようにして調べるか。私はまず野々口修の近所の住人から話を聞いてみることにした。彼の部屋に女性が出入りするのを見たことがないか、部屋から女性の声が聞こえてきたことはないか、などを尋ねてみたわけである。不思議なことだが、他の内容の聞き込みでは口の堅い人間たちも、話が男女関係となると、割合に積極的に情報を提供してくれるものなのだ。

だがこの聞き込みでは成果が上がらなかった。野々口の左隣に住んでいて、専業主婦のせいでふだんは大抵家にいるという女性でさえ、彼のところに女性客が訪ねてくるのを見たことはないと答えたのである。

「最近でなくてもいいのです。数年前にでも、そういうことはありませんでしたか」

その主婦が約十年前からそのマンションに住んでいると聞いて、私はこう質問した。野々口もほぼ同時期に入居しているから、その主婦が彼の恋人を目撃する機会はあったはずである。

「ずっと昔なら、そういうこともあったかもしれませんけど、よく覚えていません」

主婦はそういった。もっともな答えかもしれなかった。

私は野々口修の交際範囲を洗い直してみた。この三月に辞めたという中学校にも行ってみた。ところが彼のプライベートな部分について何かを知っている人間というのは、極端に少なかった。以前から付き合いのいいほうではなかったが、体調を悪くして以来、彼が学校の外で学校関係者と会うということは全くなくなったという。

仕方なく私は、野々口修がその前に勤務していた中学校に足を運ぶことにした。彼が恋人と旅行に行こうとした七年前は、その中学で教鞭をとっていたはずなのだ。だが私は正直なところ気乗りがしなかった。何しろそこは私がかつて教師として教壇に立っていた場所でもあったからだ。

授業が終わる頃を見計らって、私はその学校へ出向いた。私の記憶にある古い三つの校舎のうち、二つが新しい建物に変わっていた。変化といえばそれぐらいだ。グラウンドではサッカー部が練習をしていたが、その様子は十年前と何ら変わらない。

門をくぐる勇気が出ず、下校していく生徒たちを眺めながら佇《たたず》んでいると、彼等に混じって見覚えのある顔が前を通過していった。それは刀根《とね》という女性の英語教師だった。私よりも七、八年先輩である。私は彼女を追い、声をかけた。彼女は私の顔を覚えていたらしく、驚きの表情と笑顔を同時に見せた。

私は改めて挨拶し、刀根教諭の近況などを型通りに尋ねた。その後、野々口元教諭について話を聞きたいのだがときりだした。刀根教諭は即座に、最近話題になっている人気作家殺人事件のことが頭に浮かんだようで、真剣な顔つきで承諾した。

近くの喫茶店に我々は入った。昔はなかった店だ。

「あの事件には、私たちも驚いていたの。まさかあの野々口先生が犯人だなんて」

それから彼女は興奮した口振りで付け加えた。

「おまけに加賀先生が事件を担当しているなんてねえ。すごい偶然ね」

その偶然のおかげで、一番苦労しているのは私なのだというと、そうだろうという顔で彼女は頷いた。

私は早速《さっそく》本題に入った。質問の一つ目は、野々口修に特別な女性がいたことを知っているかどうかということである。難しい質問ね、というのが刀根教諭の最初の一言だった。

「私の女の勘からいわせてもらえるなら、いなかったと思う」

「そうですか」

「でも女の勘というのは、的中した時は印象的だけれど、じつは結構外れるものでもあるのよ。だから客観的なデータも挙げておいたほうがいいわね。野々口先生が何度かお見合いをしたことがあるのは知ってる？」

「いえ、知りません」

「結構頻繁《ひんぱん》にお見合いしてたのよ。当時の校長が話を持っていったこともあったはずよ。だから恋人はいなかったと思うわけ」

「それは何年ぐらい前の話ですか」

「野々口先生がうちの学校を出る少し前だから、五、六年前ということになるわね」

「それより前はどうですか。やはり頻繁に見合いをしておられましたか」

「どうだったかしら。正確には覚えてないわね。ほかの先生に訊いてみましょうか。あの頃の先生方が、まだ大勢いらっしゃるから」

「お願いします、助かります」

刀根教諭は電子手帳を取り出し、そこに何やらメモを打ち込んだ。

私は質問の二つ目に移った。それは野々口修と日高邦彦の関係について、何か知っていることはないかというものだった。

「そうか、あの時すでにあなたは学校を辞めていたのね」

「あの時といいますと?」

「日高邦彦が何かの新人賞を取った時よ」

「さあ、どうでしたか。何しろ大きな文学賞でも関心がないほうですから」

「私だっていつもなら、そんな新人賞が存在することも知らなかったと思うわ。でもあの時は違ったの。野々口先生が、その新人賞の発表があった雑誌を学校に持ってきて、皆に見せてまわったのよ。これは僕の同級生なんですよって。ずいぶんはしゃいでたわ」

これは私の記憶にはないことだった。やはり私が辞めてからの出来事なのだろう。

「その頃野々口先生は、日高邦彦と交流があったんでしょうか」

「よく覚えてないけど、その時点ではたぶんなかったんじゃないかしら。その後しばらくたってから、彼と再会したというようなことをいってたと思うから」

「しばらくたってからというと、二、三年後という意味ですか」

「まあそんなところね」

野々口修自身は、七年前に日高邦彦を訪ねていったことがきっかけで交際が復活したといっているから、辻褄が合うわけだ。

「野々口先生は日高邦彦について、どのようにいってましたか」

「どのようにって？」

「何でも構いません。人柄についてでもいいし、作品についてでも」

「本人について何といってたかは覚えてないけれど、作品については、わりとけなしていたように思うわね」

「評価していなかったということですね。どういった具合にですか」

「細かいことは忘れちゃったけど、大体いつもいうことは同じだったと思う。文学というものを誤解しているとか、人間が描けてないとか、俗っぽいとか。まあそんなところね」

野々口修本人の台詞とはずいぶん違うと私は思った。彼はそういう作品を書き写し、手本にしているとまでいっているのだ。

「けなしながらも、日高邦彦の本を読んではいたわけですね。おまけに会いにも行った」

「そういうこと。でもあれは屈折した心理の現れだったのかもしれないわね」

「どういう意味です」

「野々口先生も作家志望だったから、幼なじみに先を越されて焦っていたんじゃないかしら。でも無視することはできない。つい読んでしまう。そうして、なんだこんなもの、自分の書くもののほうが面白いのにってことになるわけ」

ありそうな話だった。

「日高邦彦が『燃えない炎』という作品で文学賞を取った時の、野々口先生の様子はどんなふうでしたか」

「嫉妬に狂ってた、といいたいところだけれど、そんなことはなかったみたい。むしろほかの人たちに、誇らしげに話してたように思う」

この話自体は、どのようにでも解釈できた。

野々口修の相手の女性を突き止めることはできなかったが、それなりに参考にはなった。私は刀根教諭に礼をいった。

仕事の話が終わったことを確認すると、刀根教諭は私に、今の仕事についての感想や、転職した当時の心境などを尋ねてきた。私は当たり障りのないことを答えておいた。苦手な話題の一つだった。彼女もそのことを察知したらしい。あまりしつこくは問い詰めてこなかった。ただ最後にこんなことをいった。

「今でもやっぱり、いじめはなくならないのよ」

そうでしょうね、と私は答えた。いじめに関する事件には、私も敏感になっている。かつての自分の失敗が頭にあるからだ。

喫茶店を出て、刀根教諭と別れた。

一枚の写真が見つかったのは、私が刀根教諭に会った翌日のことである。見つけたのは牧村刑事である。この日私と彼は、改めて野々口修の部屋を調べることにしたのだ。

我々の目的は、いうまでもなく野々口と特別な関係にあった女性の正体を突き止めることである。エプロン、ネックレス、旅行申込書——今のところこの三点が手掛かりだが、ほかにもっと決定的なものがあるのではないかと考えた。

女の写真の存在については、我々はかなり希望的な見方をしていた。思い出の品を大事にとっておく以上は、写真をそばに置いておかないはずがないと思ったのだ。ところが実際には、この時点でそういった写真は見つかっていなかった。分厚いアルバムにも、それらしき人物の写ったものはない。これは奇妙なことといえた。

「なぜ野々口は女の写真を手元に置かなかったのだろう」

捜索の手を休め、私は牧村刑事の意見を求めた。

「写真を持ってなかったんじゃないですか。どこかへ一緒に旅行に行ったというなら、その時に撮影するでしょうが、そういうことがなければ案外相手の写真というのは手に入れにくいものですよ」

「そうだろうか。旅行申込書などを大事にとっておくほどの男が、その相手の写真を一枚も持っていなかったということがありうるだろうか」

エプロンがあるのだから、女はしばしばこの部屋に来ている。その時に撮影することだって可能なはずだ。野々口修はオートフォーカス付きのカメラを持っている。

「写真があるのに見つからないということは、どこかに隠してあるということですよね」

「そういうことになる。だがなぜ隠してあるんだろう。野々口は逮捕されるまで、この部屋が警察によって捜索されることなど予想できなかったはずだ」

「わかりません」

私は部屋の中を見回した。そして一つの閃《ひらめ》きを得た。私は先日野々口修がいっていた台詞を思い出した。これ以上部屋の中をひっかきまわさないでもらいたい、人から預かった大事な本もある、という言葉だ。

私は壁一面を覆い尽くしている書籍類の前に立った。そして端から順番に調べていった。野々口があのようにいったのは、触れてほしくない本があることの現れだと推察したのだ。

牧村刑事と手分けして、一冊一冊の本を慎重に調べていった。写真、手紙、メモ、そういったものが挟まれていないかどうかをたしかめた。

作業には二時間以上を費やした。さすがに文筆家だけあって、書籍の数は並大抵ではなかった。我々の周りでは、積み上げられた本がピサの斜塔のように傾いていた。

考え方を間違えていたかもしれないと私は思った。仮に野々口修が写真なり何なりを隠していたにせよ、本人もそれを取り出し難いのでは意味がないのだ。いつでも取り出せて、しかも手っ取り早く隠すことができる、そんなふうであるはずだった。

私がそのことをいうと、牧村刑事はワープロの置かれている机の前に座った。そして野々口修が仕事をしている姿を真似てみた。

「仕事の合間に、ふと女のことを思い出すとしたら、このあたりに写真があるとちょうどいいですね」

彼がいった場所はワープロのすぐ横だったが、そこにはもちろん写真立てのようなものも置かれてはいない。

「見えない場所で、尚且つ、いつでも手の届くところだ」

私のこの要求に合うものを牧村刑事は探した。やがて彼が目をつけたのは分厚い『広辞苑』だった。彼はそれに着眼した理由を、後にこう述べている。

「頁の隙間から、何枚も栞《しおり》の端が出ていたんです。なるほどと思いました。辞書で調べものをする時、あちらこちらを同時に見たい時もありますからね。で、高校時代、本を読む時にアイドルタレントの写真を栞代わりにしていた友人がいたのを思い出しまして――」

彼のこの直感は的中していた。その『広辞苑』には五枚の栞が挟みこまれていたが、そのうちの一枚は若い女性の写真だった。背景はどこかのドライブインのようだ。チェックのシャツに、白いスカートという出で立ちだった。

この女性が誰であるかについて、早速調査が始まった。が、それはさほど手間取らなかった。日高理恵が知っていたからである。

写真の女性の名前は日高初美《ひだかはつみ》といった。つまり日高邦彦の前の妻である。

「初美さんの旧姓は篠田《しのだ》さんといいました。主人と結婚したのは、十二年前と聞いています。で、彼女が交通事故で亡くなったのは、五年ほど前だったはずです。お会いしたことはありません。私が主人の担当になった時には、もうお亡くなりになっていましたから。でも家に残っているアルバムの写真を見て、顔は知っていました。ええ、この写真の女性は初美さんに間違いないと思います」

今は未亡人となった日高理恵は、我々が持っていった写真を見て、このようにいった。

「そのアルバムを見せていただけますか」

私がいうと、日高理恵は申し訳なさそうに首を振った。

「今はここにはないんです。私との結婚を機に、そのアルバムを含めて初美さんの思い出の品は殆《ほとん》どすべて、主人が篠田さんのお宅のほうへ送ったということでした。もしかしたらカナダに送ってある荷物の中に、そういったものが少しは入っているかもしれませんが、私は知りません。もう間もなく、それらの荷物がこちらに戻ってくるはずですから、一応調べてみますけど」

それはやはり日高邦彦が新妻に対して気を遣《つか》ったと解釈していいのだろうか。その点について質すと、日高理恵はあまり愉快そうでない顔でいった。

「気を遣ってくれたのかもしれませんが、私としては主人が初美さんの思い出の品を残しておくことについては、さほど抵抗はありませんでした。それが当然のことだとも思うからです。ただ主人の口から、初美さんの話を聞いたことは殆どありません。たぶん口にするのが辛かったのではないでしょうか。だから私も、敢えて話題にすることもなかったのです。嫉妬とかではないです。単にその必要がなかっただけのことです」

極力感情を抑えて話している様子が印象的だった。私はこの台詞を額面通りに受け取る気はなかったが、半分は本心ではないかと感じた。

ところで彼女は、なぜ我々が夫の前妻の写真を持っているのかについて、強い疑問を抱いた様子だった。事件に関係があるのですかと尋ねてきた。

「関係があるかどうかはまだわかりませんが、この写真がひょんなところから出てきましてね、それで一応こうして調べているわけです」

この曖昧な回答に、当然のことながら彼女は満足しなかった。

「どこですか、ひょんなところって？」

野々口修の部屋だ、と答えるわけにはいかなかった。

「それはまだお話しするわけにはいかないのです。申し訳ないのですが」

しかし彼女は女性特有の直感力を使って、推理を働かせたようだ。まさかという顔をした。それからこんなことをいいだした。

「主人の通夜の時だったと思うのですが、野々口さんから妙なことを尋ねられました」

「何ですか」

「ビデオテープはどこにあるかって訊かれたんです」

「ビデオテープ?」

「最初私は、主人が集めていた映画のビデオのことをいっているのかと思ったんです。でもどうやらそうじゃなくて、取材用に撮影したテープのことをいっておられたみたいなんです」

「ご主人は取材でビデオカメラを使うことがあったんですか」

「はい。特に動きのあるものを取材する時には、必ずビデオカメラを持っていきました」

「野々口は、そのテープがどこにあるかと訊いたのですね」

「そうです」

「それで何とお答えになったのですか」

「先にカナダに送ったと思うといいました。仕事に関するものは、全部主人が整理したものですから、私はよく知らないんです」

「野々口はどういいましたか」

「荷物が届いたら知らせてほしいとおっしゃいました。仕事に使うテープで、日高に預けたものがあるから、という話でしたけど」

「何が写っているかはいわなかったのですね」

はい、と答えてから、日高理恵は探るようにこちらを見ながらいった。

「誰かが写っているのかもしれませんね」

誰かとは日高初美のことをいっているのだろう。だが私はそれについてはコメントせず、カナダからテープが戻ったら知らせてほしいといった。

「ほかに、野々口があなたに話したことで、気にかかったことはありませんか」

さほど期待せず、念のために私は訊いた。

すると日高理恵は、ややためらいがちに、じつはもう一つあるといった。

「これは少し前のことなんですけど、野々口さんが初美さんのことを話しておられたことがあります」

私は少し驚いた。

「どういう内容でしたか」

「初美さんが亡くなった事故のことです」

「彼は何といったのですか」

日高理恵は少し迷いを見せてから、決断したようにいった。

「あれは単なる事故だと思っていない。野々口さんは、そうおっしゃったのです」

注目すべき証言だった。私は詳しく話してほしいと頼んだ。

「詳しくも何も、これ以上のことはおっしゃいませんでした。主人が席を立って、たまたま私たち二人だけになった時のことです。どうしてそんな話になったのか、ちょっと思い出せないんですけど、その言葉だけは忘れられなくて」

たしかに印象に残って当然の発言ではある。

「単なる事故でないとすれば、何だというのですか。それもいわなかったのですか」

「はい。私も訊いたんです。それはどういう意味ですかって。そうしたら野々口さんは、途端に後悔したような顔をなさって、今いったことは忘れてください、日高にも話さないでほしいとおっしゃいました」

「それであなたはどうされたのですか。ご主人に、その話をされましたか」

「いいえ、話しておりません。さっきもいいましたように、初美さんの話題は避けていましたし、気軽に口にできる内容でもありませんでしたから」

この日高理恵の判断は、妥当なものであろう。

我々は念のため、日高初美のことをよく知る人間、たとえば日高家に出入りしていた編集者や、近所の人間にも写真を見せてみた。全員が、写真の主は初美であると明言した。

さて、なぜ野々口修が日高初美の写真を所持していたのか。

だがこれについては敢えて推理するまでもないであろう。野々口の部屋にエプロンを置き、彼からネックレスのプレゼントを贈られるはずだった女性、彼と一緒に沖縄へ行こうとした女性の正体が、日高初美だったということなのだろう。その時点では彼女はれっきとした日高邦彦の妻であるから、二人は不倫の仲にあったということになる。野々口修が日高邦彦と再会したのが七年前で、日高初美の死んだのが五年前だから、二人が関係を深める時間は充分あったとみていいだろう。また野々口の部屋から発見された旅行申込書に書かれていた、もう一人の名前は野々口初子だった。あれは、初美の偽名と考えられる。

私見であるが、これらのことが今回の事件に全く無関係だと考えるのは無理があるように思われる。未だ野々口が語ろうとしない犯行の動機に、密接に関わっているのではないだろうか。

私は、野々口修が日高邦彦のゴーストライターをしていたことは、まず間違いないと推理している。多くの状況証拠がそれを物語っているのだ。ただし、ではなぜ彼がそういう境遇に甘んじていたのかという疑問に答えることはできない。これまでに調べたかぎりでは、日高から野々口に対して、何らかの見返りが施されていたという事実はないようなのだ。それに、これは最近編集者などと話しているうちに感じたことだが、作家は自分の作品を金で売るようなことはしない。高い評価を受けるような作品ならば、尚更のことだ。

野々口は日高に対して、何か大きな負い目を持っていたということになるのだろうか。だとしたら、それは何か。

ここで日高初美とのことを考えざるをえない。もちろん、だからといって、たとえば日高邦彦が二人の関係に気づいていて、それを黙認する代わりに野々口にゴーストライターとなることを強要したと考えるのは短絡的《たんらくてき》過ぎるだろう。初美が死んだ後も、野々口が日高に作品を供出し続けてきたことの説明もつかない。

だがいずれにしても、野々口修と彼らの間に何があったかを調べる必要はありそうだ。残念ながら二人とも死んでいて、直接話を聞くことはできないが。

そこまで考えたところで、日高理恵の話が蘇《よみがえ》ってくる。野々口が、初美の死を単なる事故死とは考えていないらしいという話だ。彼はどういうつもりでそんなことをいったのか。また事故でないとすれば、何だというのか。

私はその事故について調べてみることにした。データを検索したところ、日高初美が死亡したのは五年前の三月だ。夜の十一時頃、近くのコンビニエンスストアへ買い物に行く途中、トラックに轢《ひ》かれたとなっている。現場はカーブにさしかかっていて見通しが悪く、しかもその日は雨が降っていたらしい。また彼女が道路を渡ろうとした地点に、横断歩道はなかった。

最終的にはトラック運転手の前方不注意という結論が下されている。これは車対歩行者の事故の場合、当然のことといえた。ただし記録によると、運転手自身は、なかなか自分の非を認めようとはしなかった様子だ。日高初美のほうが突然道路に飛び出してきたのだと主張していたらしい。もしこれが事実であったなら、目撃者がいなかったのは運転手にとって不幸だったということになる。だがその供述を信用する根拠はなかった。人を轢き殺した運転手の殆どが、とりあえずは歩行者側の落ち度を主張するというのは、交通事故を扱ったことのある警官なら誰でも心得ていることである。

しかし私は仮説として、この運転手の言い分が正しかった場合のことを考えてみた。仮に野々口修がいったように単純な事故でないとしたら、残る可能性は二つしかない。自殺か他殺だ。

他殺だとすると、誰かに突き飛ばされたということになる。するとその現場には当然、犯人がいなければならない。突き飛ばすのはトラックが接近する直前だから、その犯人の姿を運転手が見ていないのはおかしい。

すると残るのは自殺だけだ。つまり野々口修は、日高初美は事故死したのではなく、自殺したと考えていることになる。

なぜ彼はそう考えるのか。物的な証拠が残っているのか。たとえば遺書が彼宛てに届いているとかだ。

野々口修は、日高初美が自殺する動機に心当たりがあったのではないだろうか。そしてその動機とは、彼との不倫に関するものではなかったか。

やはり不貞を夫に気づかれたのだろうかと私は考えた。それで捨てられることが決定的になり、悲観して死を選んだのか。もしそうだとすると、野々口とのことは単なる火遊びだったということになる。

いずれにしても、日高初美という女性について調べてみる必要はありそうだった。私は上司の許可を得て、牧村刑事と二人で彼女の実家を当たってみることにした。

篠田家は横浜の金沢《かなざわ》区にあった。高台にある、庭の手入れの行き届いた上品な日本家屋だった。

両親共に健在という話だが、父親は所用で留守とかで、この日は母親の篠田弓江《ゆみえ》が我々の相手をしてくれた。小柄で品《ひん》の良い婦人だった。

我々の訪問を、彼女はさほど意外には感じていないようだった。日高邦彦が殺された事件を知って以来、いずれ自分たちのもとへも警察が来るに違いないと予期していた様子だった。むしろ今まで来なかったことのほうが予想外だったらしい。

「ああいうお仕事をするほどの方ですから、多少性格面で難しいところもあったようです。特に仕事で行き詰まっている時などは、神経を使うと初美はこぼしておりました。でもふだんは思いやりのある、いい旦那さんだったように思います」

　これが外姑による日高邦彦の印象である。率直に話しているのか、本音を隠して当たり障りのないことをしゃべっているのか、私には判別できなかった。いつものことながら、年配の人間、特に女性の本心を見抜くのは、とても難しい。

　彼女によると、篠田初美と日高邦彦が出会ったのは、二人が小さな広告代理店に勤めていた頃らしい。日高がその会社で、二年ほど仕事をしていたことは我々も確認済みである。交際中に日高は出版社に移り、その少し後に結婚。そして間もなく、彼は新人賞を取って作家に転身したというわけだ。

「職業が頻繁に変わるので、そんな人に初美を任せていいものかと、うちの人と心配したこともありましたが、おかげさまで金銭面で苦労したことはなかったようです。そのうちに邦彦さんが売れっ子作家になりましたから、これでもう何も心配することはないと喜んでいたんですよ。そんな矢先に初美があんなことになってしまって……。死んでしまったら、なんにもなりませんよねえ」

　篠田弓江は目を潤《うる》ませる気配を見せたが、さすがに我々の前で泣きだしたりはしなかった。五年の間に、ある程度の心の整理はついたとみえる。

「買い物の途中で事故に遭われたそうですね」

　さりげなく事故の詳細について尋ねてみることにした。

「はい。後で邦彦さんからお話を伺ったかぎりでは、そういうことでした。夜食用のサンドイッチを作るのに、食パンがなかったので買いに行ったそうです」

「トラックの運転手は、初美さんが突然飛び出してきたんだと主張していたようですが」

「そうらしいですね。でも初美は、そんな無茶なことをする子ではありませんでしたよ。ただ、見通しが悪くて横断歩道もない道路を横切ったわけですから、やっぱりちょっと不注意だったのでしょうね。たぶん相当急いでいたんだと思います」

「その頃、夫婦仲のほうはどうだったのでしょう」

私の質問に、篠田弓江は少し心外そうな顔をした。

「別に悪くはなかったと思いますが、どうしてですか?」

「いえ、特に深い意味はありません。交通事故に遭われる方の中には、何か悩みがあって、それでぼんやりしていたという人が多いものですから、ちょっと気になっただけです」

私はそう取り繕った。

「そうですか。でも私の覚えているかぎりでは、本当にうまくいってましたよ。邦彦さんが仕事にかかりっきりで、ちょっと寂しいということはあったようでしたけど」

「そうですか」

その、ちょっと寂しいという心理が問題だったのではないかと私は思ったが、ここでは黙っていた。

「事故が起きる前、初美さんとはよくお会いになっていたんですか」

「いえ、邦彦さんの仕事の都合がありましたから、なかなかこちらにも帰ってきませんでした。だから電話でちょっと様子を訊くぐらいのものです」

「声を聞いたかぎりでは、特に変わったことはないようだったのですね」

「ええ」

初美の母親は頷いたが、なぜ刑事が五年も前の事故について訊きたがるのか不審に思ったようだ。遠慮がちにこう訊いてきた。

「あのう、邦彦さんの事件と初美と、何か関係があるのですか」

関係はたぶんないでしょう、と私は答えた。刑事というのは、事件の関係者となると、故人であろうとも調べあげなければ気が済まない人種なのだと説明した。初美の母親は、半分は理解し、残り半分は疑問を残したままという顔で聞いていた。

「初美さんから、野々口修のことを聞いたことはありますか」

私は話の核心に触れることにした。

「そういう人が出入りしているという話は聞いておりました。邦彦さんの幼なじみで、作家志望だとか」

「ほかにはどういったことを？」

「さあ、ずいぶん前ですから、よく覚えておりません。でも、さほどその人のことは話していなかったと思います」

これは当然だろう。自分の不倫相手のことを、母親に話すことはないと思われる。

「初美さんの身の回り品は、殆どこちらに置いてあるとお聞きしているのですが、それをちょっと見せていただくわけにはいきませんか」

私がいうと、さすがに初美の母親は戸惑った顔を見せた。

「身の回り品といっても、大したものはございませんが」

「どのようなものでも構いません。とにかく日高邦彦さんや、被疑者に関することを徹底的に調べているのです」

「そういわれましても……」

「たとえば日記などは書いておられませんでしたか」

「そういうものはありませんでした」

「アルバムは?」

「それはございますが」

「ではまずそれから見せていただけませんか」

「でも貼ってあるのは、邦彦さんや初美の写真ばかりですよ」

「それでも結構です。参考になるかどうかは、こちらで判断しますから」

おかしなことをいう刑事だと彼女は思っているに違いなかった。初美が野々口修と関係していたらしいことを教えれば話が早いのだが、それをすることはまだ上司から許可を得ていない。

合点がいかぬ様子だったが、初美の母親はいったん奥に下がり、アルバムを持って戻ってきた。アルバムといっても、硬い表紙のついた立派なものではなく、薄い小冊子のような写真入れを何冊かケースに納められるようにしたものだった。

私と牧村刑事は、それらを一冊一冊見ていった。そこに写っている女性は、野々口修の部屋から見つかった写真の女性と、間違いなく同一人物だった。

大半の写真には日付が入っていたので、野々口修と接点があった頃のものを見つけるのは難しくはなかった。私はそれらの写真の中から、日高初美と野々口との関係を暗示する何かを発見しようと目をこらした。

やがて牧村刑事が一枚の写真を発見した。そして黙って私にそれを見せた。私はなぜ彼がその写真に着目したかを、すぐに理解した。

私はこのアルバムをしばらく預からせてもらえないかと篠田弓江に頼んだ。怪訝《けげん》そうにしながらも、彼女は承諾した。

「初美さんの身の回り品としては、ほかにどういったものが残っていますか」

「あとは衣類だとかアクセサリーだとかです。邦彦さんが再婚なさるのに、そういうのはあまり家には置いておけなかったんでしょうね」

「書簡類はどうですか。手紙だとか葉書は？」

「そういったものはなかったように思います。もう一度よく調べておきますけれど」

「ビデオテープはどうでしょうか。カセットテープぐらいの大きさのものですが」

日高邦彦が取材に用いていたのは八ミリビデオだと、日高理恵からは聞いていた。

「さあ、なかったように思いますけど」

「では、初美さんが親しくしておられた方のお名前を教えていただけますか」

「初美がですか……」

咄嗟《とっさ》に思い当たる名前はないようだった。ちょっと失礼しますといって、彼女はまた奥に消えた。次に現れた時には、薄いノートのようなものを持っていた。

「これはうちの住所録なんですけど、初美の友達の名前も少しは書いてあるんです」

そして彼女はその住所録から、三人の名前を拾い出してきた。学生時代の友人が二人と、広告代理店時代の同僚が一人だ。三人とも女性だった。私はそれらの名前と連絡先をすべてメモした。


三人の友人への聞き込みは、すぐに行われた。学生時代の友人二人は、日高初美が結婚した後は、殆ど付き合いがないようだった。しかし職場が同じだった長野《ながの》静子《しずこ》という女性は、初美が事故に遭う数日前にも、電話で話をしたというぐらい親しくしていたらしい。以下は長野静子の証言である。

「初美さんは最初、日高さんのことをそんなには意識していなかったと思うんです。でも日高さんが強烈にアプローチしてきて、それで次第にひかれていったという感じだったんじゃないでしょうか。日高さんは仕事でも、強引なところがありましたからね。初美さんは少し内気なところがあって、あまり自分の気持ちを表《おもて》には出さない人でした。結婚を申し込まれた時も、たぶん迷っていたとは思うんですけど、結局日高さんに押し切られたみたいです。だけど、結婚を後悔している様子はなかったです。幸せそうに見えましたよ。ただ、日高さんが作家になってからは、それまでの生活パターンががらりと変わったせいか、いつも少し疲れているみたいでしたね。日高さんに対する不満みたいなものは、あまり聞いたことがありません。事故の前ですか？　特に用があったわけではなく、声を聞きたくなってあたしのほうから電話したんです。彼女はいつもどおりだったと思います。話の内容は細かく覚えていないんですけど、買い物とかレストランの話をしたんじゃないでしょうか。電話では、いつもそんな話をしていましたから。事故のことを聞いた時にはびっくりしました。信じられなくて、涙も出なかったんです。通夜からお葬式まで、ずっとお手伝いさせていただきました。日高さんですか？　そりゃあ男性ですから、あまり人前で取り乱したりはなさらなかったですけど、落ち込んでおられるのは傍で見ていてもよくわかりましたよ。あれからもう五年になるんですね。ついこの間のことのような気がするんですけど。誰ですか？　野々口修って、あの犯人の野々口ですか。さあ、お葬式に来ていたかどうかはちょっと。何しろ弔問《ちょうもん》客《きゃく》が多かったものですから。でも刑事さん、どうして今更初美さんのことなんかを調べるんですか。何か事件と関係があるんですか」

日高初美の実家を訪れた二日後、私は牧村刑事と共に野々口修のいる病院へ行った。例によって、まずは担当医師の話を聞くことにした。

医師は苦悩していた。手術の手筈は整っているが、本人が同意しないらしいのだ。手術をしても助かる見込みが少ないことはよくわかっている、ならばこのまま少しでも長く生き長らえたいというのが野々口の言い分だという。

「手術をすることによって、死期が早まるということもありうるのですか」

私は担当医師に尋ねた。

そういうこともなくはない、というのが医師の答えだった。だが手術をする価値はあるというのが彼の見解らしい。

そういった話を頭に入れて、我々は野々口の病室へ入っていった。彼は上半身を起こした姿勢で、文庫本を読んでいた。ひどく痩せているが、顔色は悪くない。

「少し顔を見なかったから、どうしているんだろうと思っていたところだよ」

彼の口調は相変わらずだった。が、声には明らかに精気が欠けている。

「また一つ、お伺いしたいことができましてね」

野々口修はうんざりした顔を見せた。

「またかね。君は意外に粘着質の性格なんだなあ。それとも刑事になると、誰でもそんなふうに変わるものなのかな」

私は彼の嫌味には対応せず、所持していた写真を彼の前に差し出した。いうまでもなく、『広辞苑』に挟んであった、日高初美の写真である。

「これがあなたの部屋で見つかりました」

この瞬間、野々口修の顔面が、奇妙な歪《ゆが》みを持ったまま強《こわ》ばった。呼吸が乱れているのがわかった。

「それで？」

彼は訊いた。それだけいうのが精一杯なのだろうと私は解釈した。

「この写真について説明していただけますか。なぜあなたが日高邦彦氏の、前の奥さんである初美さんの写真を持っていたのですか。しかも後生大事に」

野々口修は私から視線をそらし、窓の外を見た。私はそんな彼の横顔を見つめた。彼がしきりに何か思考を巡らせている気配が、こちらにも伝わってきた。

「僕が初美さんの写真を持っていたら、どうだというんだい。そんなこと、今度の事件には何の関係もないじゃないか」

ようやくこれだけいったが、それでも彼は窓に目を向けたままだった。

「関係があるかどうかは我々に判断させてください。先生は、判断のための材料だけを出してくだされぱいいのです。正直にね」

「僕は正直に話しているつもりだよ」

「ではこの写真のことも、その姿勢で説明してください」

「なんでもないんだよ。そんな写真には別に大した意味はない。何かの時に撮った写真を、日高に渡すのを忘れてそのままになっていたんだ。それでつい『広辞苑』の栞《しおり》代わりに使っていたというわけさ」

「いつ撮った写真ですか。これはどこかのドライブインのようですが」

「忘れたよ。彼等夫婦と一緒に花見とか祭り見物に出掛けることもあったから、そのついでに撮ったんだろう」

「奥さんのほうだけを撮ったわけですか。相手は夫婦者なのに」

「たまたまそういうことになったんだろう。ドライブインなら、日高のほうはトイレにでも行っていて、その間に撮ったのかもしれない」

「ではこの時に撮った、ほかの写真はどこにあるんですか」

「だからそれがどういう時の写真かもわからないんだから、そんな質問に答えられるはずがないだろう。アルバムに挟んであるかもしれないし、過《あやま》って捨ててしまったかもしれない。

とにかく記憶にないんだ」

野々口修は狼狽《ろうばい》を露《あら》わにしていた。

私はさらに二枚の写真を取り出し、彼の前に置いた。どちらにも富士山が写っている。

「この写真には覚えがあるでしょう?」

二枚の写真を見て、彼が唾を飲み込むのを私は確認した。

「先生のアルバムから見つけました。さすがにこの写真のことは忘れてはおられないでしょう?」

「……いつの写真だったかな」

「この二枚の写真は、いずれも同じ場所から撮影されています。どこだったか、まだ思い出せませんか?」

「思い出せないね」

「富士川《ふじかわ》です。正確にいうと富士川サービスエリアです。そして先生、先程の日高初美さんの写っている場所が、まさにそこなんですよ。背後に写っている階段が、それを示しています」

私の言葉に、野々口修は沈黙した。

日高初美の写真の場所が富士川サービスエリアであることは、多くの捜査員が気づいたことだった。それを踏まえた上で我々は、野々口のアルバムを見直した。その結果、富士山を撮った二枚の写真が見つかったのだった。それらが富士川サービスエリアから撮影された可能性が極めて高いことは、静岡県警の協力を得て確認してあった。

「初美さんの写真を撮ったのがいつだったか思い出せないということでしたら、この富士山の写真を撮った時のことを教えていただけませんか。それなら難しくはないでしょう」

「残念ながらそれも覚えてない。そういう写真がアルバムに挟んであったというのも、たった今まで失念していた」

この件に関しては、しらを切り通すことを決断したようだった。

「そうですか。では、最後の写真をお見せするしかないようですね」

私は切り札ともいうべき写真を上着の内ポケットから取り出した。それは日高初美の実家から借りてきたアルバムの中にあったものである。篠田家に行った時、牧村刑事が発見したのだ。三人の女性が写っている写真だ。

「この写真の中に、あなたにとって非常に馴染みの深いものが写っているはずです。当然おわかりですよね」

写真を見る野々口の顔を私は凝視した。彼はわずかに目を見開いた。

「いかがですか」

「申し訳ないが、君のいわんとしていることがわからないな」

このようにいった彼の声はかすれていた。

「そうですか。でもそこに写っている三人の女性のうち、真ん中の女性が日高初美さんであることはわかりますね」

　これに対して、野々口は何も答えなかった。無論、肯定の意味の沈黙である。

「では、初美さんがつけておられるエプロンについてはどうですか。黄色と白のチェック柄に見覚えがあるでしょう。それは先生の部屋で見つかったのと同じものです」

「……だからどうだというんだ」

「先生が日高初美さんの写真を持っておられたことについては、何とでも説明ができるでしょう。でも彼女のエプロンを持っていたことは、どのように言い訳をなさるおつもりですか。我々としては、お二人が特別な関係だったと考えるよりほかないのです」

　野々口修は低く唸《うな》り、その後はまたしても黙りこんだ。

「先生、どうか本当のことを話していただけないでしょうか。先生がそのように隠しごとをなさると、我々としては調べざるをえません。我々が動くと、当然マスコミに感付かれる確率も高くなります。今のところは、まだその気配はありませんが、そのうちに何か嗅ぎつけて、憶測に満ちた記事を書くかもしれません。すべて我々に話してくだされば、そういったことへの対策もとれると思いますが」

　この台詞がどれほどの効果をもたらしたのか、正確なところはわからない。だが野々口の顔つきから、逡巡《しゅんじゅん》していることは窺えた。

やがて彼はいった。

「彼女とのことは、今度の事件とは全く関係がない。そのことは断言しておく」

この台詞に、私は安堵《あんど》した。とりあえずは一歩進んだのだ。

「二人の関係については認めるわけですね」

「関係というほど大層なものではない。ほんの一時期、気持ちを迷わせることがあっただけだ。だけど彼女にしても僕にしても、すぐに熱は冷めた」

「関係はいつから？」

「正確には覚えてない。僕が日高の家に出入りするようになってから、五、六ヵ月後ぐらいじゃなかったかな。その頃風邪《かぜ》をひいてね、部屋で寝込んでいたところ、彼女が時々様子を見に来てくれた。それがきっかけだよ」

「いつ頃まで続いたんですか」

「二、三ヵ月だよ。今もいったように、ほんの短い間、熱にうかされていただけだ。二人とも、どうかしていたんだよ」

「でもその後も、先生は日高家との交際を続けておられましたね。ふつうそういうことがあった後は、足が遠退《とおの》くと思うのですが」

「我々の場合、険悪になって別れたというわけではないからね。二人で話し合い、こういうことはやめたほうがいいという結論に達したんだ。以前のような付き合いをしようと、その時に約束した。とはいえ、日高家で顔を合わせる時など、完全に平静だったとはいいにくいがね。事実、僕が行く時には、彼女は外出していることが多かった。やはり避けていたんだろう。こんな言い方をすると不謹慎かもしれないが、彼女が事故でああいうことにならなければ、いずれ僕と日高夫妻との交際は終わっていたと思う」

野々口修は淡々と語った。先程まで見せていた狼狽の色は消えていた。私は彼の表情を観察し、その話がどこまで信用できるものかを見極めようとした。嘘をついているようには見えない。しかしあまりにも落ち着きすぎていることが不自然でもあった。

「エプロンのほかに、ネックレスと旅行申込書が先生の部屋で見つかっています。あの二つも、日高初美さんに関係していると考えていいのですか」

私の問いに彼は頷いた。

「二人で旅行しようと思いつき、申し込む直前まで話が進んだことがあるんだよ。でも結局実現はしなかった」

「なぜですか」

「別れたからだよ。決まっているだろう」

「ネックレスは?」

「いつか君が推理したとおり、彼女に贈るつもりだった。結局それも計画倒れに終わってしまったということだ」

「それらのほかに、日高初美さんの思い出の品はありますか」

野々口修は少し考えてから答えた。

「洋服ダンスの中に、ペーズリー柄のネクタイがかかっている。あれは彼女からプレゼントされたものだった。それから食器棚に入っているマイセンのティーカップは、彼女が部屋に来た時に使ったものだ。二人で店に行き、二人で選んだ品だ」

「店の名前は？」

「銀座の店だったと思うが、場所や名前は覚えてないな」

以上の内容を牧村刑事が記録するのをたしかめてから、私は野々口修に訊いた。

「先生は今も日高初美さんのことを忘れられずにいる、と考えていいわけですね」

「そんなことはない。遠い昔の話だ」

「ではなぜ、そういった思い出の品を、大切に保管しておられたのですか」

「大切に、というのはそちらの勝手な思い込みだ。処分することがないまま、ただ時間が流れてしまっただけのことだよ」

「写真もそうですか。『広辞苑』に挟んであった写真も、処分しそびれて何年も栞代わりに使っていたとおっしゃるんですか」

野々口修は返答に窮したようだ。その証拠に、次のようにいった。

「まあ、好きなように想像すればいいさ。とにかく、今度の事件とは無関係な話題だよ」

「し

最

る。

「ど

えよ

「そ

「セ

「知

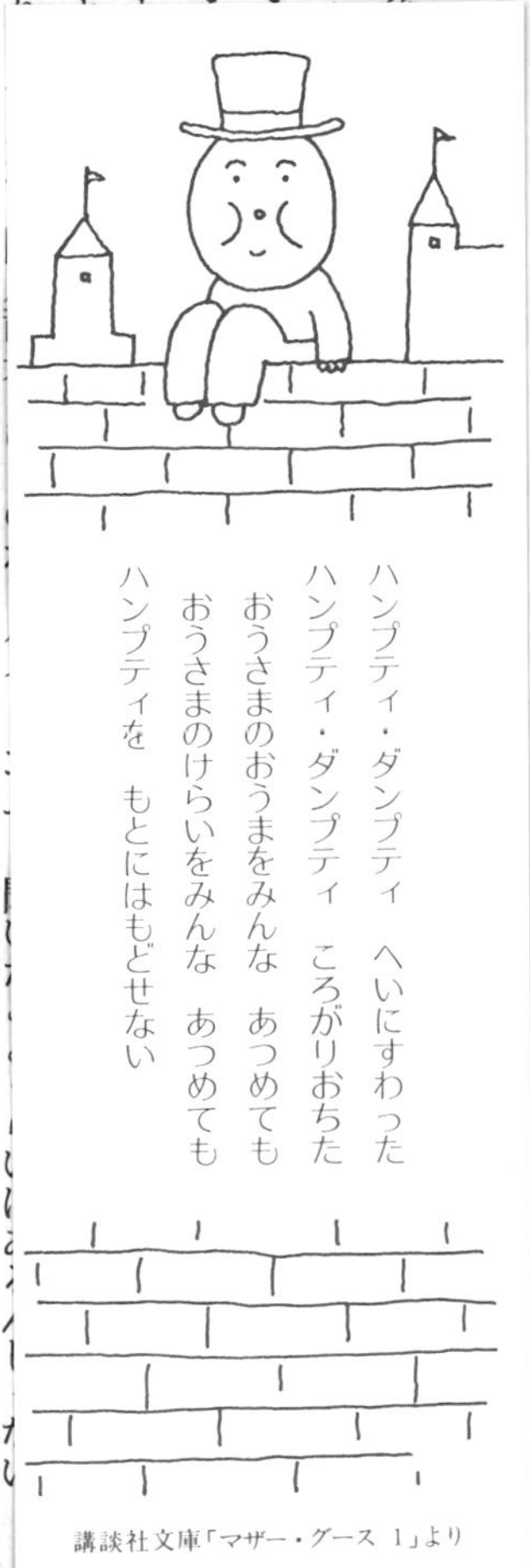
ハンプティ・ダンプティ　へいにすわった
ハンプティ・ダンプティ　ころがりおちた
おうさまのおうまをみんな　あつめても
おうさまのけらいをみんな　あつめても
ハンプティを　もとにはもどせない
講談社文庫「マザー・グース 1」より

ですか」

「知らないな。聞いたことがない」

彼が断言するのをたしかめてから、私は解答を出すことにした。

「トラックの運転手ですよ。初美さんを轢いた男です」

野々口は虚をつかれたようだった。

「そうか……そういう名前だったのか」

「御存じなかったということは、さほど恨んではいなかったということですか」

「名前を覚えていなかっただけだよ。もちろん恨まないなんてことはない。ただ、どれだけ恨んでも、彼女が生き返るわけじゃないだろう」

ここで私は日高理恵から聞いていた話を持ちだすことにした。

「自殺だったと考えておられるから、運転手を恨む気になれないのではないですか？」

実際には彼は、「単なる事故とは思っていない」といっただけらしいのだが、私はわざと「自殺」という言葉を入れた。

野々口は目を見張った。

「なぜそんなことをいうんだ」

「あなたがある人に、そういったという話を聞いたからです」

ある人というのに、彼は思い当たったようだ。

「仮にいったのだとしても、ほんの思いつきで口にしただけだ。軽率だったことは認めるが、あまり重要視されると困るね」

「ほんの思いつきにせよ、その根拠というのに興味があるんですが」

「忘れたよ。昔自分が発した細かい言葉の一つ一つについて、その根拠を説明しろといわれても、君だって戸惑うだろう」

「まあ、このことはいずれ詳しくお訊きすることになると思います」

私は病室を後にしたが、充分な手ごたえを感じていた。野々口修は、間違いなく日高初美の死を自殺と考えている。

我々が捜査本部に戻って間もなく、日高理恵から連絡が入った。カナダから荷物が戻ってきたというのだ。その中に、日高邦彦の取材用ビデオテープもあるらしい。すぐに会いに行くことにした。

「荷物の中に入っていたビデオテープはこれだけです」

そういって日高理恵がテーブルの上に並べたのは、八ミリビデオテープが七本だった。いずれも一時間録画用のテープだった。

私は一つ一つを手に取ってみた。ケースには、一から七までの番号が付けられているだけで、タイトルなどは書かれていなかった。日高本人としては、これで充分にわかったのだろう。

内容を見たかどうか尋ねてみた。見ていない、と日高理恵は答えた。

「何だか気味が悪くて」

というのが彼女の言い分である。そういうものかもしれなかった。

しばらく預からせてもらえないかと頼んでみた。彼女はオーケーした。

「それから、じつはもう一つ、お見せしておいたほうがいいと思われるものがあるんですけど」

「何でしょう」

これなんですといって、日高理恵はテーブルの上に、弁当箱ほどの大きさの四角い紙の箱を置いた。

「主人の衣服なんかと一緒に入っていたんです。私は覚えがないですから、主人が入れたのだと思います」

拝見しますといって箱を引き寄せ、蓋を取った。そこにはビニール袋に入ったナイフが納められていた。柄がプラスチック製で、刃渡りは二十センチぐらいありそうだ。ビニールごと持ってみると、ずっしりとした重みがある。

どういうナイフかと日高理恵に尋ねた。彼女は首を振った。

「それがわからないから、こうしてお見せすることにしたんです。私はこれまでに目にしたことがありませんし、主人から話を聞いたこともありません」

私はビニール越しにナイフの表面を観察した。新品というわけではなさそうだった。

日高邦彦が登山をしたことがあるかどうか訊いてみた。自分の知るかぎりはない、というのが彼女の答えだった。

私はこのナイフも捜査本部に持ち帰ることにした。

本部に戻ると、早速数人で手分けしてビデオテープの内容を調べた。私が見たのは、京都の伝統工芸、特に西陣織《にしじんおり》を取材したもののようだった。職人が昔ながらの方式で織りあげていく様子や、彼等の日々の暮らしなどが記録されていた。時折ぼそぼそと注釈をしゃべる声が入るが、日高邦彦本人のものだろう。一時間テープのうちの約八割が使用されており、残りの部分には何も記録されていなかった。

他の捜査員たちの話を聞いたかぎりでは、ほかのテープも同じようなものだということだった。純粋に取材を目的としたものとしか思えないらしい。一応我々はお互いのテープを交換し、早送りなどして目を通してみたが、その印象に変わりはなかった。

なぜ野々口修は日高邦彦のビデオテープのありかを理恵に尋ねたのか。何か彼にとって重大な意味を持つものが写っているからではないのか。しかし七本のテープを見たかぎりでは、野々口に結びつきそうなものは見つからない。

どうやらあてが外れたらしいということになり、落胆ムードが漂い始めた。だがちょうどその時、鑑識のほうから思いもよらぬ情報が届いた。鑑識には、例のナイフについての調査を依頼してあったのだ。

その報告内容を要約すると次のようになる。

「刃の部分には若干の摩耗《まもう》が見られ、何度か使用した形跡あり。ただし血液が付着したことはないと思われる。柄の部分に指紋多数。鑑識の結果、すべて野々口修のものと推定される」

無論これは特筆すべき情報である。だが我々は、これについてどういう説明が可能か、考えつかなかった。なぜ日高邦彦が、野々口修の指紋のついたナイフを、まるで貴重品のように保管していたのか。またなぜそのことを、妻の理恵にさえも秘密にしていたのか。

野々口本人に尋ねるという手もあるが、その案は却下《きゃっか》された。このナイフは彼に真相を語らせる切り札になるのではないかという予感を、捜査員全員が持っていた。

そしてその翌日、日高理恵から再び連絡が入った。さらにもう一本、テープが見つかったというのだ。

急いで我々はそのテープを受け取りに行った。

「これを見てください」

彼女がまず出してきたのは一冊の本だった。前に彼女からもらった、『夜光虫』という小説の単行本だった。

「この本が何か？」

「表紙を開いてみてください」

彼女にいわれ、私は表紙に指をかけた。同行した牧村刑事が、あっと声を発した。

本の内部がくりぬかれ、そこにビデオテープが納められていた。まるで昔のスパイ小説のようだった。

「この本だけが、他の書籍類とは別の荷物に入っていたんです」

日高理恵はいった。

何らかの意図の下に、日高邦彦が隠し持っていたテープであることは確実だった。我々は捜査本部に戻るまでの時間が惜しく、その場で再生してみることにした。

モニターに現れたのは、見たことのある庭と窓を撮影したものだった。それが日高家のものであることは、日高理恵はもちろん我々もすぐに気づいた。夜に撮影されているらしく、ひどく暗い。

画面の隅に、日付を表す数字が並んでいた。それは七年前の十二月を示していた。

果たして何が起きるのだろうかと、私は身を乗り出した。しかしカメラは延々と、庭と窓を写し続けているだけだった。何の変化もなく、誰も現れない。

「少し早送りしてみましょうか」

牧村刑事がそういった時だった。

画面に一人の人物が登場してきた。

告白の章　野々口修による手記

この次に加賀刑事が病室へやってくるとしたら、それはすべての答えを探し当てた時ではないか。私はここ数日、じつはそんなふうに考えておりました。彼のこれまでの仕事ぶりから、そのように予想したのです。彼はじつに確実に、抜かりなく、そして驚くべきスピードで、真相に迫っている様子でした。私には彼が近づいてくる足音がいつも聞こえていました。特に日高初美との仲を知られたとわかった時から、私はある程度の覚悟を決めなければなりませんでした。もうこれ以上はごまかせないかもしれないなと、半ばあきらめていました。彼の慧眼は、私が恐れた以上だったのです。私がこんなことをいうのはおかしいのですが、彼が教師を辞めて今の職業を選んだのは正解だったと思います。

加賀刑事は病室に、一つの証拠を持って現れました。一つはナイフであり、もう一つはビデオテープでした。驚いたことにテープは、『夜光虫』の本の内部をくりぬいたケースに入っていたそうです。日高らしい悪戯《いたずら》だなと私は思いました。そしてまた彼らしいしたたかさだとも感じました。これが『夜光虫』ではなく別の本であったなら、さすがの加賀刑事も、そう簡単には真実を見抜けなかったはずなのです。

「このテープに写っている内容について説明してください。見てみたいとおっしゃるのなら、病院からビデオデッキとテレビを借りてきますが」

加賀刑事がいったことは、基本的にはたったこれだけです。しかし私に真実を語らせるには、これだけで充分でした。本当のことをいわないかぎり、そのテープの内容を説明することなど不可能だったからです。そこに記録されている映像は、それほど異常なものでした。

それでも私は、少しだけ無駄な抵抗を試みました。つまり何も答えないという態度をとったわけです。しかしそれが殆ど何の意味もなさないことは、すぐにわかりました。私が黙りこむと、それを予期していたかのように加賀刑事は自分の推理を述べ始めたからです。驚くべきことに、細部を除いてそれはほぼ事実をいいあてたものでした。さらに彼は次のように付け加えました。

「以上の話は、現時点では単なる想像にすぎません。しかし我々は、これをもって今回の犯行の動機と結論づけるつもりです。いつか先生はおっしゃいましたよね。動機なんかはどうでもいい、好きなように警察で決めてくれればいいと。それに対する答えが、今の話だというわけです」

たしかに私は、以前彼にそういう意味のことをいいました。冗談でなく本気でした。なぜ私が日高邦彦を殺害するに至ったのか、その真の理由を話すぐらいなら、適当にでっちあげられた話に乗ってもかまわないと思ったのです。

まさか加賀刑事がその真の理由を見つけだしてくるとは、あの時は夢にも思いませんでした。だからその場合にどう対応するかということも、当然考えてはおりませんでした。

「どうやら僕の負けらしいね」私はいいました。狼狽が表に出ぬよう、ゆっくりとした口調を心がけました。せめてもの強がりだということは、加賀刑事にもわかったことでしょう。

「話していただけますか」と加賀刑事は訊きました。

「そうするしかないようだね。僕が黙っていても、君は今の話を真実として裁判に提出する気なんだろう」

「そうなります」

「だったら、なるべく話の内容は正確にしておいたほうがいい。そのほうが僕もすっきりする」

「自分の推理で、間違っている部分はありましたか」

「いや、殆どないよ。人したものだ。ただし、補足しておきたいことがいくつかある。名誉にかかわる問題でもあるし」

「それは先生の名誉ですか」

「いや」私はかぶりを振って続けました。「日高初美さんの名誉だ」

納得したというように加賀刑事は頷きました。そして同行してきた刑事に、記録をとるよう指示したのです。

「ちょっと待ってくれ」と私はいいました。「必ずこういう形をとらなければならないのかな」

「といいますと？」

「少々長い話になりそうだし、僕としても頭の中で整理したい部分がある。思いつくまま語って、真意が伝わらないのも困る」

「調書には必ず目を通していただきます」

「それはわかっているが、僕にもこだわりというものがある。告白する時には、自分の言葉で語りたいと考えていた」

加賀刑事は少し黙ってから口を開きました。

「告白文を書いてくださるわけですか」

「それが許されるのなら、そうしたい」

「わかりました。そのほうがこちらとしてもありがたいですね。時間はどれぐらいかかりますか」

「丸一日あれば書けると思う」

加賀刑事は腕時計を一瞥してから、「明日の夕方、伺います」といって腰を上げました。

私が今こうして告白文を書いているのは、このような経緯からです。おそらく他人に読ませるのを目的に、これほどまとまった文章を書くのは、これが最後になることでしょう。いうなれば最後の作品です。そんなふうに考えると、一言一句もおろそかにできないと思えてくるのですが、残念ながら表現に凝っているほどの時間的余裕はなさそうです。

日高邦彦と再会したのは、何度も加賀刑事にいいましたように七年前です。当時日高はすでに作家としてデビューしておりました。某出版社の新人賞を受賞して、二年ほど経っていたと思います。単行本は受賞作を中心にした短編集が一冊と、長編小説が三冊出ていました。期待の若手という評価が、当時はなされていたと記憶しています。もっとも、デビュー間もない作家が本を出す時には、出版社は必ずそんなふうにうたうのですが。

幼なじみということで、私は彼がデビューした時からずっと気をつけて見ていました。よくやったなと思う半面、妬《ねた》ましさがあったことも否定できません。といいますのは、当時すでに私も、将来は作家になりたいという夢を持っていたからです。

じつは私と日高は、子供の頃から何度かそういう夢を語り合ったことがあるのでした。二人とも本が好きで、面白い本を見つけたら教えあい、互いの本の貸し借りなどもしました。シャーロック・ホームズやルパンの面白さを私に教えてくれたのは彼です。代わりに私はジュール・ヴェルヌを推薦しました。

こういう面白い話を自分も書いてみたいと日高はよくいいました。そしていつか作家になるのだと、照れることもなく口に出していました。私は彼ほど堂々と宣言することはありませんでしたが、憧《あこが》れの職業だということはいっておりました。

そんな背景があったわけですから、先を越された私が多少嫉妬《しっと》するのも無理ないと思っていただけるのではないでしょうか。こちらは作家になるための足がかりさえ摑めずにいたのです。

しかしながら、やはりかつての友人が成功したわけですから、応援する気持ちのほうがはるかに強かったことはいうまでもありません。また自分にとっても、これはチャンスではないかと考えました。日高を通じて、出版関係者との繋がりができるかもしれないからです。

そういう計算もあって、本当はすぐにでも彼に会いに行きたいところでしたが、デビュー直後の彼にとっては、たとえ幼なじみの激励にしても煩《わずら》わしいだけに違いないと推測し、しばらくは雑誌や本で彼の作品を読むという形で応援していくことにしました。

そして彼に刺激され、私もいよいよ本気で創作に取り組むことにしたのです。学生時代、私は仲間たち数人と同人誌のようなものを作っておりました。小説を書くのは、その時以来ということになります。

私には長年温《あたた》めていたアイデアがいくつかありました。その中から私が選んで書き始めたのは、花火師を題材にしたものでした。私の実家のそばに花火職人が住んでいて、小学校の五年生か六年生の頃、何度か遊びに行ったことがあるのです。七十歳ぐらいの老人だったと記憶しています。そのおじいさんの花火作りにまつわる話というのが面白くて、いつまでも忘れずにいたのです。で、その話を膨らませて小説にできないかと思いついたわけです。平凡な男が、ふとしたことから花火作りにのめりこむ、そんな筋立てを考えついて書き進めることにしました。『丸い炎』というのが、その作品につけた私の題名です。

そんなふうにして二年ほどが過ぎた頃、私は思い切って日高に手紙を書いたのです。デビュー当初から君の作品はすべて読んでいる、応援しているからがんばってくれという内容のものです。そして一度会いたいのだがということも書き添えておきました。

意外なことに返事はすぐにきました。いえ返事というのはおかしいですね。彼は私のところへ電話をかけてきてくれたのです。私の部屋の電話番号は手紙に書いておきました。

彼は大層懐《なつ》かしがってくれました。考えてみれば彼とゆっくり話をするのは、中学卒業以来だったのです。

「野々口が教師になったというのは、おふくろから聞いてたよ。堅実でいいなあ。こっちは給料もボーナスもなしだから、明日どうなるかもわからんという毎日の繰り返しさ」

こんなふうにいってから、彼は磊落《らいらく》そうに笑いました。こんなふうにいうのは無論、彼のほうに優越感があったからにほかならないでしょうが、私はさほど不快には思いませんでした。

今度会おうという話は、その電話で具体化しました。新宿の喫茶店で待ち合わせをし、その後中華料理の店で食事をしました。私は学校からの帰りということもあり背広を着ていましたが、彼はブルゾンにジーンズという出で立ちでした。なるほど自由業というのはこういうものかと、妙に感心した覚えがあります。

昔話や共通の友人の近況などを話し合った後は、もっぱら日高の小説が話題の中心となりました。私が本当に著作をすべて読んでいると知り、彼は心底驚いていたようです。彼によると、仕事を依頼してくる編集者でも、彼の作品を殆ど読んでいないという人が大半なのだそうです。意外な話でした。

彼は大いに気をよくして多弁になっていましたが、その彼の顔が少し曇ったのは、私が本の売れゆきに言及した時です。

「小説雑誌の新人賞を取ったぐらいじゃ、そうは売れないんだよ。やっぱり作品が話題になってくれないとな。同じ賞でも、もっとメジャーな賞なら、話も違ってくるけどさ」

夢がかなって作家になったとしても、なかなか大変なのだなと思いました。

後から考えると、すでにこの時日高は、作家を続けていく上での壁にぶちあたっていたのかもしれません。いわゆるスランプというやつでしょう。そしてそれを克服できる見通しが立っていなかったのではないでしょうか。もちろんそういうことも、この時の私にはわかりませんでした。

私は彼に、じつは自分も小説を書いているのだと話しました。そしていずれはデビューしたいという夢があることも、思い切って告白しました。

「完成した作品はあるのかい？」と彼は尋ねてきました。

「いや、恥ずかしい話なんだけど、まだ第一作目を書いているところなんだ。もう少しで完成する予定ではあるがね」

「じゃあそれが出来たら持ってこいよ。俺が読んで、いいと思ったら、知り合いの編集者を紹介してやろう」

「本当かい。日高にそういってもらえると、書いていても張り合いがある。コネクションが何もなくて、どこかの新人賞に応募するしかないと思っていたんだ」

「新人賞なんて七面倒くさいことはやめたほうがいいぜ。それに運の要素がかなり強い。下読みをする人間の好みに合わなくて、いい作品なのに予選の段階で落とされるということだってある」

「そういう話は聞いたことがある」

「だろう？　やっぱり編集者に直接当たるのが早道さ」日高は自信たっぷりにいいました。

作品が完成したらすぐに連絡するといって、その日私は彼と別れました。

具体的な目標が出来たことで、私の執筆にかける意気込みは変わりました。だらだらと一年以上かけても半分ほどしか進まなかったのに、日高と会った日からわずか一ヵ月で、作品は完成したのです。原稿用紙にして百数十枚の中編でした。

私は日高に連絡し、小説が完成したから読んでほしいといいました。宅配便で送ってくれといわれたので、私はコピーをとり、それを彼のところへ送りました。後は彼からの回答を待つだけです。その日から私は学校でも、なんとなく落ち着きませんでした。

ところが日高からの連絡は、なかなかありませんでした。たぶん忙しいのだろうと思い、すぐに催促の電話をかけるようなことはしませんでした。しかし頭の片隅では、もしかしたらどうしようもなくひどい作品なので、日高がどう対応していいかわからず困っているのかもしれないなどという不吉な想像も広がっていました。

原稿を送って一ヵ月あまりが過ぎた頃、私は思い切って電話をかけてみました。電話に出た彼の返事は、別の意味で私を落胆させるものでした。まだ読んでいないというのです。

「悪い。今ちょっと厄介な仕事に取り組んでてさ、時間がとれないんだ」

このようにいわれれば、私としては返す言葉がありません。

「僕のほうはいいよ、急ぐわけじゃない。まずは日高がいい仕事をすることだ」反対に激励することになりました。

「すまん。こいつが片付いたら、すぐに読ませてもらうよ。最初のほうだけ目を通したんだけど、花火師の話らしいな」

「うん」

「神社のそばに住んでたじいさんのことを思い出して書いたんだろう?」

日高も、あの花火師の老人のことを覚えていたようです。そうだ、と私は答えました。

「懐かしいなあと思っていたんだ。だから早く読みたいんだが、どうにもならなくてね」

「今の仕事は、いつぐらいまでかかりそうなんだい？」

「そうだなあ、あとひと月ぐらいはかかるかもしれないな。とにかく、読んだらすぐに俺のほうから連絡するよ」

「うん、よろしく頼む」

電話を切ってから、物書きという仕事はやっぱり大変そうだなあと思いました。この時点では私のほうに、日高に対する疑いの気持ちなど微塵《みじん》もありませんでした。

それからまた一ヵ月以上が過ぎましたが、依然として彼からは何もいってきません。あまり何度も催促するのも迷惑かと思いましたが、一刻も早く作品についての感想を聞かせてもらいたくて、たまらず電話しました。

「すまん、まだなんだ」彼の返事は、またしても私をがっかりさせました。「仕事が長引いちゃってさ。もう少し待ってくれないか」

「それはいいんだけれど……」正直なところ、私はこれ以上待ち続けるのは苦痛でした。それでこのようにいいました。「日高が忙しいということなら、誰かほかに読んでくれる人を紹介してもらえないかな。たとえば編集者とか」

すると彼は途端に不機嫌な口調になりました。

「それはできないな。内容も出来映えもわからないものを、多忙な彼等に押しつけるようなことはしたくない。ただでさえ連中は、出来の悪い持ち込み原稿には、日頃からうんざりしているんだぜ。誰かに紹介するにしても、まずは俺が目を通してからにしたい。俺があてにならないというなら、原稿は今すぐに送り返してもいいが」

こんなことをいわれては、私としては何もいい返せません。

「そういう意味じゃないんだ。日高が大変そうだから、誰かほかの人がいればと思っただけだ」

「残念ながら、素人の小説をじっくり読んでくれるような人間は見当たらないな。心配しなくても、俺が責任を持って読むよ。約束する」

「そうか、じゃあ任せるよ」そういって電話を切ったのでした。

しかし案の定というべきか、それから二週間ほど経っても、彼からの連絡はありません。私は鬱陶《うっとう》しがられるのを覚悟で、またしても電話をかけたのでした。

「こちらから電話しようと思っていたところだよ」彼はそんなふうにいいました。その口調に何となくよそよそしいところがあったので、私はちょっと気になりました。

「読んでくれたのかい？」

「うん。少し前に読んだ」

それならなぜすぐに電話してくれなかったのかといいたいのをこらえて、「どう思う？」と作品の出来映えについて尋ねてみました。

「うん、そのことなんだが」彼は数秒黙ってからいいました。「電話ではうまく伝えられないな。どうだい、うちに来てくれないか。ゆっくりと話をしたい」

この言葉に私は戸惑いました。私としては、まずは作品が面白かったのかどうかを聞きたいのです。まるでじらされているような気分でした。しかし彼がわざわざ自宅に招いて話をしたいといってくれているということは、それだけ真剣に読んでくれたということにもなります。私はやや緊張しながら、ぜひうかがわせてほしいといいました。

こうして私は彼の家を訪れることになりました。この訪問がその後の人生に大きく影響を及ぼすということは、この時には全く予想できないことでした。

当時彼は今の家を買った直後でした。サラリーマン時代の貯えがかなりあったようですが、やはり父親の遺産の存在が大きかったのではないでしょうか。彼の父親は、これより二年ほど前に亡くなったという話でした。のちに彼が売れっ子作家になったのでよかったわけですが、そうでなければ、彼にあの家ではやや分不相応という感じがしたでしょうね。

私は手みやげにスコッチを持って、彼の住まいを訪ねました。

日高はトレーナー姿で私を迎えてくれました。その彼の横にいたのが初美さんです。

今から考えると、あれは一目惚れというものだったのかもしれません。私は彼女を見た瞬間、インスピレーションのようなものを感じたのです。それは既視感に似たものです。もちろん彼女と会ったのはその時が初めてでした。だから正確にいうと、いつか出会うことが決まっていた相手に巡り合ったような感覚、ということになるのかもしれません。私は彼女の顔を見つめたまま、しばらく口がきけませんでした。

しかし日高は、私の動揺には気づかなかったようです。初美さんにコーヒーを淹れるよう命じると、私を仕事場に案内しました。

すぐに作品に関する話が始まるものと期待したのですが、彼はなかなか本題に入ろうとはしませんでした。世間の事件のことを話したり、私の仕事について尋ねてきたりするのです。初美さんがコーヒーを出してくれた後も、やはり関係のない話を続けました。

とうとうじれて、私はいいました。「それで例の僕の小説はどうだい？　よくないのなら、はっきりいってほしいんだけど」

すると彼はそれまでの笑顔を消し、ようやく感想を述べてくれました。

「悪い作品ではないと思う。テーマなんかは、わりといいんじゃないかな」

「悪くないけど、よくもない……そういうことかい」

「まあはっきりいうと、そういうことになるかな。読者を引きつけるものが、今一つ感じられないんだ。素材はいいが料理法が間違っている、ということになるのかもしれない」

「具体的には、どこがいけないんだろう」

「まあやっぱり人物に魅力がないということだろうな。で、どうして魅力がないのかというと、ストーリーがまとまりすぎているからじゃないかな」

「こぢんまりしているということ?」

「まあそうだ」そして彼はこう続けました。「素人の小説としてはよく出来ていると思うよ。文章もまあまあだし、起承転結もある。でもプロの作品としては魅力に欠ける。うまいだけじゃ、商品にはならないからな」

ある程度は覚悟していたのですが、この評価に私は落胆しました。はっきりとした欠点があるのなら、そこを修正すればいいわけですが、うまいけれど魅力がないというのでは、どうしていいかわかりません。これはいいかたを換えれば、「根本的に才能がない」ということになるからです。

「じゃあこのテーマを生かして、もう少し別の書き方を考えたほうがいいかな」それでも私はめげずに、今後の方針を相談してみました。

日高は首を振りました。

「一つのテーマにこだわるのはよくないな。この花火師の話は、とりあえず白紙にしてしまったほうがいい。そうしないと、同じことの繰り返しになるおそれがある。俺としては全く別の話を書くことを勧めるね」

この彼のアドバイスは、もっともなものに聞こえました。

では別の話を書いて持ってきたら、また読んでもらえるだろうかと私は尋ねました。もちろん喜んで、と彼は答えました。

その後すぐに、私は次の作品にとりかかろうとしました。しかし実際には、思うように筆が進みませんでした。第一作目は無我夢中で書けたのですが、二作目になると細かい部分が妙に気になって、たった一つの表現を決めるのに一時間も机に向かっているという有り様です。この原因はどうやら、私が読者を意識していることにあるようでした。最初の作品は誰に読ませるという目的もなく書き始めたものでしたが、今度の作品には日高という読者が存在するのです。そのことが私を、ある意味でいえば臆病にしているようでした。そしてアマチュアとプロの差はこういうところにあるのかもしれないなどと思いました。

第二作目はそのようなわけで難航していましたが、その間私はしばしば日高の家を訪れました。幼なじみであり、かつては一緒に遊んだ仲なのですから、友情が復活したということになります。私としては、現役作家の話を聞くというのは非常に興味深いことでしたし、日高にしても、外の人間と接するというメリットがあったのではないでしょうか。作家になって以来、ついつい世間のことに疎《うと》くなりがちだと漏らしていたことがありますから。

ただし日高家を訪問する私の心の中に、別の魂胆があったことは告白しておかなければならないでしょうね。私は日高初美さんに会えるのを楽しみにしていたのです。彼女は私が行くと、いつも素敵な笑顔で歓迎してくれました。派手な装《よそお》いをした時よりも、普段着姿の時のほうが奇麗に見えるという、私にとっては理想の女性でした。もっとも彼女が派手な服を着たところなど、実際には見たことがないのですがね。もしかしたらその時には、はっと息を飲むほどの妖艶な美女に変貌したのかもしれません。そのほうが日高には似合いですから。しかしとにかく私にとっては、最後まで生活感のある美人でした。

ある時私は予告もなしに訪問したことがありました。近くまで来たから、というのは口実で、じつは不意に彼女の笑顔を見たくなったからです。その時、たまたま日高は留守でした。となると私としては、挨拶だけして帰らざるをえません。私が会いに来た相手は、表向きは日高なのですから。

ところが幸運にも、初美さんは私を引き留めたのでした。ちょうどケーキを焼いたところなので、味見をしてほしいというのです。私は口では辞退しつつも、この夢のようなチャンスを逃す気など全くなく、あつかましくも上がり込んでいたのでした。

それからの二時間あまりは、至福の時でした。私はすっかり気分を昂揚《こうよう》させ、やたらに饒舌《じょうぜつ》になっていました。それに対して彼女がいやな顔もせず、コロコロと少女のように笑ってくれたことも私を有頂天《うちょうてん》にさせていました。たぶん私はずいぶん赤い顔をしていたと思います。辞去した後、顔にあたる冷気が心地よかったことを今も覚えているくらいですから。

その後も私は創作に関する相談をしにいくふりをしながら、初美さんの素敵な笑顔を見たくて頻繁に日高家を訪れました。日高は何も気づいていない様子でした。じつは彼には彼なりの企《たくら》みがあって私と会っていたわけですが、そのことを私が知るのは少し後のことです。

やがて私の第二作目が完成しました。そこで早速日高に読んでもらい、感想を求めることになったわけですが、残念ながらここでも良い感触を得ることはできませんでした。

「ありきたりの恋愛小説という感じがする」というのが日高の感想でした。「少年が年上の女に惚れる話ってのは、掃いて捨てるほどあるからな。何かプラスアルファが欲しいところだ。それに肝心の女がどうもよくないな。実在感がないんだ。頭で考えただけというのが見え見えだ」

酷評というのは、こういうものをいうのでしょう。私はショックでした。特に落胆したのは、後のほうです。日高が「実在感がない」と評したヒロインは、初美さんをモデルにした人物にほかならなかったからです。

自分にはプロになる実力がないということだろうかと私は日高に訊きました。

彼は少し考えてからいいました。

「まあおまえの場合、きちんとした職業を持っているわけだから、焦る必要はないんじゃないか。作品がいつか本になればいいぐらいに考えて、趣味として書いていけばいいと思うけどな」

こういう言い方は慰めにはなりませんでした。この二作目にしても、私としてはまずまずの出来映えではないかと自惚《うぬぼ》れていたのです。一体自分に何が足りないのだろうかと真剣に悩みました。この時ばかりは、「元気を出してくださいね」という初美さんの優しい言葉も、特効薬とはなりませんでした。

ショックで充分に眠れない日が続いたせいでしょうか、この直後から私はすっかり体調を崩してしまいました。風邪をこじらせ、とうとう寝込む羽目になったのです。こういう時に独身の辛さが骨身にしみます。冷たい布団の中で小さくなっていると、ますます惨《みじ》めな思いに包まれていくのでした。

しかしこの時に信じられないような幸運が訪れたことは、すでに加賀刑事にもお話ししてありますよね。そうです。初美さんが部屋まで見舞いに来てくれたのです。彼女の姿をドアスコープを通して確認した時には、熱のせいで自分の頭がどうかしてしまったのかと思いました。

「風邪をひいて学校を休んでおられるという話を、主人から聞いていたものですから」彼女はそういいました。たしかにこの前日に彼のほうから電話があって、その時に寝込んでいることを話したのでした。

彼女は私の感激や驚きをよそに、キッチンで食事を作ってくれました。そのための材料まで買ってきてくれたわけです。私は頭がぼうっとなってしまいました。無論それは風邪の熱のせいではありません。

初美さんの作ってくれた野菜スープの味は格別でした。いや、じつをいうと味などはわからなかったのです。彼女が自分のために来てくれた、食事まで作ってくれたという思いが、私をこの上ないしあわせな気分にしていたのです。

私は結局学校を一週間休むことになりました。昔からあまり丈夫でない私は、一度病気をすると治りにくいのが悩みでした。しかしこの時ばかりはその体質に感謝しなければなりませんでした。何しろその間に三度も、初美さんが様子を見にきてくれたからです。三度目には、日高に命じられて来ているのかと私は尋ねました。

「主人には、このことは話してないんです」というのが彼女の答えでした。

「なぜですか」

「だって……」そういったきり彼女は続きをいいませんでした。そのかわりに私にこう頼みました。「野々口さんも、このことは主人に内緒にしていただけませんか」

「僕はかまいませんが」

私としては彼女の考えをぜひ聞いておきたいところでしたが、それ以上強くは尋ねませんでした。

全快すると、私はなんとか彼女に礼をしたいと思いました。それで思い切って食事に誘いました。プレゼントでは、日高に気づかれるおそれがあったからです。

初美さんは少し迷ったようですが、オーケーしてくれました。ちょうど日高が取材旅行で留守にする日があるので、その時にしてもらえないかと彼女はいいました。私に異存はありませんでした。

六本木《ろっぽんぎ》にある懐石料理の店で食事をしました。そしてその夜、彼女は私の部屋に来たのでした。

加賀刑事には私たち二人の関係について、「ほんのいっとき熱にうかされていただけだ」とご説明しました。それについてはここで訂正しておきたいと思います。私たちは心の底から愛し合っておりました。最初に彼女を見た瞬間感じたように、彼女は私にとって運命の女性だったのです。そして私たちの真剣な愛が始まったのが、この夜であったといえるでしょう。

しかしめくるめくような時間を過ごした後、私は初美さんから驚くべきことを聞かされました。それは日高に関することです。

「主人は、野々口さんを陥《おとしい》れようとしています」彼女は悲しそうにこういいました。

「どういう意味ですか」

「野々口さんが作家としてデビューするのを邪魔しようとしているんです。作家になることをあきらめさせようとしているんです」

「それは僕の小説がつまらないからですか」

「いいえそうじゃないんです。たぶんその逆だと思います。野々口さんの書く作品が、自分の小説よりもよくできているから、それを妬んでいるんだと思います」

「まさか」

「私も最初はそんなふうには考えませんでした。いえ、考えたくありませんでした。でもそれ以外に、主人のおかしな言動を説明することができないんです」

「どういうことです」

「野々口さんが、最初の作品を送ってくださった時のことです。主人は初め、さほど真面目に読むつもりはありませんでした。素人のへたくそな小説を読まされたら、自分の感覚が狂ってしまうというようなことをいってたほどなんです。少しだけ目を通して、お茶を濁せばいいというようなこともいいました」

「えっ、そうだったんですか」

日高本人の話とずいぶん違うと思いながら、私は先を促しました。

「でも読み始めると、主人は作品に没頭してしまったようです。私にはわかります。あの人は飽きっぽい性格で、少しでもつまらないと思ったら、すぐにほうりだしてしまうはずなんです。あれだけ熱心に読んだということは、野々口さんの作品世界にひかれたからだとしか考えられません」

「だけど彼はあの作品を、プロとしては通用しないといいました」

「そこに主人の企みを感じるのです。それ以前に主人は、野々口さんが何度も電話してこられたのに、まだ読んでいないと嘘をついてました。たぶんどう対処すればいいかを考えていたのだと思います。そうして出した結論が、作品をけなして、野々口さんに作家への道を断念させるということだったに違いありません。私、主人が野々口さんの作品をあんなに熱心に読んでいたくせに、面白くないといっているのを聞いて、変だなあと思っていたんです」

「熱心に読んでくれたのは、僕が彼の幼なじみだったからじゃないんですか」

私は彼女の言葉が信じられなくて、こういいました。しかし彼女はきっぱりと否定したのです。

「主人はそういうタイプの人間じゃありません。あの人は自分のこと以外には、何の興味もないんです」

断定的な台詞に、私は戸惑わざるをえませんでした。激しい恋愛の末に結婚した夫のことを、彼女がこんなふうに思っているとは想像外でした。

でも考えてみれば、このように夫に幻滅していた時だったから、私のほうに傾いてくれたのかもしれません。そう思うと、少し複雑な気がします。

さらに初美さんは、最近の日高が創作に行き詰まり、焦っていることを話してくれました。何を書けばいいのか全く思い浮かばず、自信をなくしかけているのだといいます。そしてだからこそ、素人の私が次々に新しい作品を生み出してくるのが妬ましいのだろうということでした。

「とにかく野々口さんは、主人に作品のことを相談するのはやめたほうがいいと思います。そうして、もっと真剣に力になってくれる方を探すべきです」

「しかしもし日高が僕をデビューさせたくないなら、もっときっぱり、作家への道を断念しろというんじゃないかな。一応彼は僕の二作目の小説も読んでくれたわけだし……」

「野々口さんは主人のことを知らないのです。あの人がはっきりしたことをいわないのは、野々口さんがほかの人のところへ相談に行くのを防ぐためにすぎません。気をもたせるようなことをいって繋ぎとめておいて、じつは出版社に紹介する気なんかこれっぽっちもないんですから」初美さんは彼女らしからぬ激しい口調でいいました。

私としては、日高がそれほどの悪意を胸に秘めていたとはとても信じられませんでした。しかし初美さんがでたらめをいっているとも思えません。

とりあえずしばらく様子を見てみると私はいいました。そんな私の態度に、初美さんは少しじれったそうでした。

ただしその後、私が日高家を訪れる回数が減ったことは事実です。それは日高のことが信用できなかったからというよりも、彼の前で初美さんと顔を合わせるのが怖かったというのが正直なところです。彼女と会った時、これまでとなんら変わるところがないふうを装えるかどうか、私には自信がなかったのです。日高は勘の鋭い男です。私の彼女を見る目つきに変化が生じれば、必ず気づくに違いありませんでした。

だからといって、何日も彼女に会わずに過ごすなどということには、到底耐えられそうにありません。でも外で会うというのは危険でした。ひそかに話し合った結果、初美さんに私の部屋へ来てもらうことになりました。加賀刑事ならご承知だと思いますが、私のマンションは人気《ひとけ》が少なく、部屋を出入りするところを近所の人間に目撃されるおそれは殆どありません。また仮に見られたとしても、彼女の顔を知る人はいないのですから、妙な噂が広がる心配もないのでした。

初美さんは日高が外出する時などを見計らって、私の部屋へ来てくれました。泊まっていくことはありませんでしたが、夕食を作ってくれて、それを二人で食べたということは何度もあります。その時彼女はいつもお気に入りのエプロンをつけていました。そうです。加賀刑事たちが発見した、例のエプロンです。彼女があのエプロンをつけて私の部屋のキッチンに立つ姿を眺めていると、本当に新居を持ったような気分になりました。

しかし一緒にいる時が幸せであるほど、離れる時は辛いものです。彼女が帰らねばならない時刻になると、私たちは二人とも無口になり、恨めしげに時計の針を見つめたものでした。

ほんの二、三日でもいいから二人きりになれたならどんなに素晴らしいだろう。よくそんなことを話したものです。不可能だと思いながら、私たちはこの魅力ある夢想から離れられませんでした。

そしてある時、それが実行できそうなチャンスがやってきました。日高が仕事で一週間ほどアメリカに行くことになったのです。編集者と二人だけでの渡米で、初美さんは留守番ということでした。

こんなチャンスはもう二度とないかもしれないと思いました。確実に二人だけになれる時間をどのように使うか、私は初美さんと浮き浮きして話し合いました。そうして決まったのが、あの沖縄旅行でした。旅行会社に行って申し込み、代金まで支払いました。たとえ短期間にせよ夫婦として行動できるというのは、私たちにとって夢のような話でした。

でも結局はこの時が幸せの絶頂であったというべきでしょうね。すでに御存じのとおり、この沖縄旅行は実現しませんでした。日高のアメリカ行きが中止になったからです。元々は何かの雑誌の企画だったらしいのですが、直前になってストップがかかったようなのです。詳しい事情はわかりません。日高はかなり落胆していたそうですが、私たちの失望の比ではなかったはずです。

夢の日々を取り上げられたことで、初美さんと一緒にいたいという気持ちは以前にも増して強くなりました。つい先程まで会っていたとしても、別れればすぐにまた会いたくなるのです。

ところが彼女が来てくれる回数は、ある時からぐっと減りました。その理由を聞いて私は青ざめました。日高が二人の関係に気づいているかもしれないと初美さんはいうのです。さらに彼女は、私が最も恐れていたことを口にしました。そろそろ別れたほうがいいのではないか、という台詞です。

「二人の関係を知ったら、主人はきっと報復するわ。あなたに迷惑をかけたくないの」

「僕はかまわない。だけど……」

だけど彼女を苦しめるわけにはいきませんでした。日高の性格を考えると、あっさりと離婚届に判を押すとも思えません。しかし、だからといって彼女と別れることなど、とても考えられませんでした。

その後何日ぐらい悩んでいたでしょうか。私は教師としての仕事などそっちのけで、打開策を考えました。そしてついに決断したのです。

もうおわかりですね。いや加賀刑事はすでに推理しておられるのだから、こんなことを確認する必要もないのでした。私は日高を殺す決心をしたのです。

こんなふうにあっさりと書くと、奇異な印象を受けられるかもしれませんね。しかし実際さほど迷うこともなく、この結論に落ち着いたのです。白状してしまえば、私はこういう事態になる前から、日高が死んでくれることを祈っていたのでした。あの初美さんを日高が自分のものにしているというのが許せなかったのです。人間とは身勝手なものですね。私のほうが横取りしたのに、そんなふうに思うのですから。とにかくそういうわけで、いっそ自分の手で殺そうと考えたことも、それまでにないこともなかったのです。

当然のことながら、私の提案に初美さんは強く反対しました。そんな重罪を犯させるわけにはいかないと涙まで流したのです。ところがその涙は、私を一層狂わせました。日高を殺すよりほかに道はないと強く思い込むようになったのです。

「君は何も考えなくていい。これは僕が勝手にすることだ。もし失敗したとしても、そしてもし警察に捕まるようなことになっても、絶対に君には迷惑をかけない」こんなふうに彼女にはいいました。冷静な判断力をなくしていたといわれても、反論のしようがありません。私の決意が固いことを悟ったからか、やはりこれ以外に二人が結ばれる道はないと考えたからかはわかりませんが、最後には初美さんも心を決めてくれました。そして、自分も協力するとまでいってくれたのです。私は彼女を危険な目にあわせたくはなかったのですが、彼女は私一人を犯罪者にするわけにはいかないと、強い姿勢を見せました。

こうして私たちは共謀して日高を殺す計画を練りました。計画とはいっても、それほど複雑なものではありません。私たちが考えたことは、強盗の仕業に見せかけようというものでした。

そしてあの十二月十三日を迎えたわけです。

深夜、私は日高家の庭に侵入しました。その時の服装がどういったものか、すでに加賀刑事は御存じですね。そう、黒いズボンに黒いブルゾンというものでした。本当は覆面もすべきだったのかもしれません。そうすればその後の展開も全く変わっていたに違いないからです。でもあの時は、顔を隠すことまでは考えなかったのです。

日高の仕事部屋の明かりは消えていました。私がおそるおそる窓に手をかけて横に動かすと、鍵はかかっておらず、抵抗なく開きました。私は息を殺して室内に入り込みました。部屋の隅に置かれたソファの上で、日高が横になっているのが見えました。仰向けの状態で目を閉じ、規則正しい寝息をたてていたのです。

彼が翌日締切の仕事を抱えており、この夜は一晩中仕事部屋にこもることになるだろうということは、初美さんから聞いてたしかめてありました。だからこそこの夜を選んだのです。

仕事を抱えているにもかかわらず彼が眠り込んでいたことについては説明が必要です。初美さんが夜食に睡眠薬を混入する手筈になっていたのです。その睡眠薬は日高が時々使用するもので、仮に解剖で見つかったとしても怪しまれないだろうというのが私たちの読みでした。日高の様子を見て、私はすべてが計画通りに進んでいることを確信しました。仕事をするつもりが突然の睡魔に勝てず、ソファで横になったのでしょう。初美さんはそれを確認した上で、部屋の明かりを消し、窓の鍵をあけておいてくれたのです。

後は私が実行するだけでした。私は震える手で、ブルゾンのポケットから凶器を取り出しました。そう、あのナイフです。

本音をいうと、私は絞殺を選びたかったのです。ナイフで突き刺すというのは、想像するだけでも恐ろしくなりました。でも強盗の仕業《しわざ》らしく見せるには、ナイフを使ったほうがいいように思えました。強盗に入ろうとする人間が、まともな凶器を用意していないとは思えないからです。

どこを刺せば一番確実なのか、よくわかりませんでした。それでともかく胸を突き刺そうと思いました。その際、それまではめていた手袋をはずしたのは、ナイフの柄をしっかり握るためです。指紋は後で消せばいいと思いました。そしてナイフを両手で握り、頭の上まで振り上げました。

その瞬間、信じられないことが起こりました。

日高が目を開けたのです。

私は身体も心も凍りついたようになりました。ナイフを振り上げたまま動けず、声を発することもできませんでした。

呆然としている私とは逆に、日高は素早い動きを見せました。気づいた時には私は、彼によって押さえつけられていたのです。ナイフも私の手から離れていました。昔から彼のほうがはるかに運動能力において優れていたことを、私は思い出さずにはいられませんでした。

「どういうつもりだ、なぜ俺を殺そうとした」日高は訊きました。私に答えられるはずがありません。

やがて彼は大声で初美さんを呼びました。間もなく顔を真っ青にした彼女が部屋に入ってきました。彼女は日高の声を聞いたことで、何が起きたかを瞬時に悟ったようです。

「警察に電話しろ。殺人未遂だ」日高はいいました。

しかし初美さんは動きませんでした。

「どうした、早く電話するんだ。ぐずぐずするな」

「あなた……その人、野々口さんなのよ」

「わかっている。だがそれが見逃す理由にはならない。この男は俺を殺そうとしたんだ」

「あなた、じつをいうと」

初美さんは自分も共犯だと告げるつもりだったようです。が、それを日高は遮《さえぎ》りました。

「おまえは余計なことをいうな」

この言葉で私は事情を察知しました。日高は私たちの計画に気づいていたのです。そして眠ったふりをして、私が犯行に及ぶのを待ちかまえていたのです。

「おい、野々口」彼は私の頭を押さえつけながらいいました。「盗犯等防止法というのを知っているか。そこに正当防衛に関する記述がある。それによると、犯罪を目的に侵入してきた人間を誤って殺してしまっても、罪には問われないことになっている。今まさにその状態だと思わないか。ここで俺がおまえを殺しても、誰にも文句をいわれないんだ」

冷酷な口調に、私は身体が震えるのをとめられませんでした。まさか彼が私を殺すとは思いませんでしたが、おそらくそれに等しい仕打ちをするだろうと予期できたのです。

「だけどまあ、それは勘弁してやる。俺も、いい気分はしないだろうからな。さてと、そうなると、あとは警察に突き出すしかないわけだが……」ここで彼は初美さんのほうをちらりと見て、にやりと笑ってからまた私に鋭い目を移しました。「そんなことをしても、俺には何の得もないからな。俺を殺そうとした理由なんかどうでもいいし、おまえが監獄に入れられたからといって、俺の人生に変化が生まれるわけでもない」

何をいいたいのか、さっぱりわかりません。それだけに不気味でした。

やがて彼は力を緩め、私を解放しました。そして落ちていたナイフを、そばにあったタオルで手を包《くる》んで拾い上げました。

「喜べ、今日のところは見逃してやる。さっさと窓から逃げるんだな」

私は驚いて日高の顔を見ました。彼はにやにやしていました。

「なんだ、狐につままれたような顔をしているじゃないか。俺の気持ちの変わらないうちに出ていったほうがいいぜ」

「何を考えているんだ」と私は訊きました。無様《ぶざま》にも声は震えていました。

「それをおまえが今ここで知ったところで仕方がない。さあ、早く出て行くんだ。ただし」といって彼は手にしたナイフを見せました。

「これは証拠として預かっておく」

このナイフが果たして証拠として通用するだろうかと私は考えました。たしかに私の指紋はついているのですが。

するとそんな私の考えを見透《みす》かしたかのように日高はいいました。

「忘れるな。証拠はこれだけじゃない。もう一つ、絶対に言い逃れできない証拠がある。そのうちにおまえにも見せてやる」

一体何のことだろうと思いましたが、その場では考えつきませんでした。私は初美さんを見ました。彼女は白い顔ながら、目の縁だけを赤くしていました。人間のあれほど悲しそうな顔というのを、私はそれまで見たことがありませんでした。いえ、その後だって見たことがありません。

日高が何を考えているのか全くわからぬまま、私は帰路につきました。このままどこかへ消えてしまおうかと何度思ったかわかりません。それをしなかったのは、初美さんのことが気がかりだったからです。

この事件の後、私は毎日を怯えながら過ごしました。日高が報復に出ないことは考えられません。それがどういう形で現れるかわからないだけに余計怖かったのです。

日高家に行かないことはもちろん、初美さんとも会いませんでした。ただし電話だけは何度かありました。

「彼はあの夜のことは全く口にしないの。まるで忘れてしまったみたい」

彼女はそんなふうにいいましたが、まさか彼が忘れているはずがありません。口にしないということは、私には一層不気味に思えました。

彼の報復の正体を知るのは数ヵ月後でした。私は書店で、それを知ったのです。加賀刑事ならもうおわかりでしょうね。そうです。日高の新作、『燃えない炎』が出版されていたのです。あれは私が彼に預けた最初の小説、『丸い炎』を長編に書き直したものでした。

悪い夢でも見ているのではないかと私は思いました。とても信じられない、いえ信じたくない事態でした。

考えてみれば、これほどひどい復讐はないかもしれません。少なくとも作家を目指していた私にとっては、心がずたずたに引き裂かれるほどの苦痛となりました。日高だからこそ思いついた、冷酷な驚くべき報復といえました。

作家にとって作品は分身のようなものです。もっとわかりやすくいえば子供です。そして世の親たちが子供を愛するように、作家は自分が生み出した作品を愛しています。

その作品を日高は奪ったのです。彼が自分の名前で発表した以上、『燃えない炎』は永久に日高邦彦の作品として人々に記憶され、文学の記録に残ることでしょう。それを阻止するには、私が抗議の声をあげるしかありません。そして私が決してそんなことはしないことを、日高は見抜いていたのです。

そうです。私はこんな仕打ちを受けても、ただ黙っているほかはないのです。私が日高に文句をいったところで、次のように切り返されるのが落ちでしょう。

「監獄に入りたくなければ黙っていることだな」

つまり盗作のことを暴露する以上は、私が日高の家に忍び込み、彼を殺そうとしたことも告白する覚悟が必要だということです。

私は何度か、警察に自首し、それと同時に『燃えない炎』が私の『丸い炎』を盗作したものだと訴えようかと思いました。実際、地元の警察に電話をするため、受話器を取り上げたことさえあるのです。

しかし結局私は電話できませんでした。殺人未遂犯人として逮捕されるのが怖かったというのはもちろんあります。でもそれ以上に、初美さんが共犯者として捕らえられることのほうを恐れたのです。日本の警察は優秀ですから、私が自分一人でやったことだといくら主張しても、彼女の手引きなしには犯行が不可能だったことを立証してしまうでしょう。いえそれ以前に、日高が彼女のことを見逃すはずがありません。いずれにしても、彼女が何の罪にも問われないというのは、殆ど期待できませんでした。私は絶望した状態で毎日を送っていましたが、依然として初美さんだけは不幸にしたくなかったのです。こんな書き方をすると、加賀刑事などは苦笑されるかもしれませんね。何を格好つけているんだ、と。たしかに自己陶酔していたきらいは多分にあったと思います。しかし自分に酔ってでもいなければ、あの苦しい時期を過ごすことはできなかったのだと考えていただけないでしょうか。

この時ばかりは初美さんも、私に対する慰めの言葉が思い浮かばなかったようです。日高の目を盗んで電話をかけてきてくれることはありましたが、気まずい沈黙以外に電話線に乗せられるやりとりといえば、悲しいほどに陰鬱で内容のない言葉だけでした。

「あの人があんなひどいことをするとは思わなかった。あなたの作品をとるなんて……」

「仕方がないよ。どうすることもできない」

「私、なんだかあなたに申し訳なくて……」

「君のせいじゃないよ。何もかも僕が愚かだった。自業自得だよ」

まあこういう感じです。愛する人と話していても、少しも心は晴れず、明日への展望が開けてくるということもありません。ただひたすら気持ちが落ち込んでいくだけでした。

皮肉なことに、『燃えない炎』は評判になりました。あの本が雑誌や新聞などで取り上げられているのを目にするたび、心の中がかきむしられるような思いがしました。作品が褒められていること自体は嬉《うれ》しいのです。しかし次の瞬間には現実に戻ります。絶賛されているのは私の作品ではなく、日高の作品なのです。

そしてついに彼は、単に話題になったというだけでなく、権威ある文学賞を手にしました。彼の誇らしげな様子を新聞で見た時の私の悔しさが、わかっていただけるでしょうか。私は幾日も眠れませんでした。

そんなふうに悶々と暮らしていたある日のことです。玄関のチャイムが鳴りました。ドアスコープを覗いた私は、心臓が大きく跳ねるのを感じました。そこに立っていたのは日高邦彦だったからです。彼の姿をじかに見るのは、私が彼の家に侵入した時以来です。一瞬私は居留守を使おうかと思いました。作品を奪われたことで、あれほど彼のことを憎んでいながらも、私はやはりまだ彼に対して負い目を感じているのでした。

逃げても仕方がないと思い、私はドアを開けました。日高は薄笑いを浮かべて立っていました。

「寝ていたのか」と彼は尋ねました。私がパジャマ姿だったからでしょう。この日は日曜日でした。

「いや、起きてたよ」

「そうか。安眠を妨げたのでなきゃいいんだが」そういってから彼は部屋の奥を覗き込むようなしぐさをしました。「ちょっといいか。少し話があるんだが」

「それはいいけど、部屋はあまり奇麗じゃないんだ」

「かまわんよ。グラビア写真を撮ろうというんじゃない」

売れっ子になったことで、写真に撮られる機会が多くなったからでしょう、こんな軽口を叩きました。

「それに」と彼は私を見ました。「おまえのほうも、俺に話があるんじゃないのか。いろいろといいたいことがね」

私は黙っていました。

リビングルームのソファで私たちは向き合いました。日高はじろじろと室内を見回していました。私は、もしや初美さんの痕跡が残っているのではないかと思い、少し落ち着きませんでした。初美さんのエプロンは洗濯して、箪笥にしまってあったのですが。

「独り身のわりには片付いているじゃないか」やがて彼はいいました。

「そうかな」

「誰か掃除に来てくれる人でもいるのかい」

この日高の言葉に、私は思わず彼の顔を見返しました。彼は相変わらず冷たい笑みを唇に滲ませていました。私と初美さんとのことを皮肉っていることは明白でした。

「話というのは何だい」息苦しさに耐え切れず、私は先を促しました。

「まあ、そうせかすなよ」彼は煙草を吸ったり、当時話題になっていた政治家の汚職事件について話したりしました。もったいをつけ、私をじらして楽しんでいたのでしょう。

いよいよこちらの我慢が限界に達し、声を荒らげようかと思った時、彼は世間話のついでという感じでいいました。「ところで『燃えない炎』のことだが」

私は思わず背筋を伸ばしていました。そして日高の口から次の言葉が発せられるのを待ちました。

「偶然とはいえ、おまえの作品に似てしまったことは詫びておいたほうがいいかもしれないな。なんといったかな、あの作品。『丸い炎』……たしかそういうタイトルだった」

涼しい顔をしてこんなことをいう日高の顔を、私は目を剝いて凝視《ぎょうし》しました。偶然だって？　似てしまっただって？　あれを盗作と呼ばないのなら、そんな言葉は辞書から削ってしまえばいい――そういいたいのを私は必死でこらえました。

すると彼はすぐに続けていいました。

「もっとも、単に偶然と片付けられない点があるのもたしかだ。というのは、『燃えない炎』の執筆中におまえの作品を読んでしまったことで、多少の影響を受けたことは否定できないからな。潜在意識に植え付けられた部分があって、それが作品に出てしまったかもしれない。作曲家なんかだと、そういうことはよくあるそうだ。自分では意識したつもりはないんだが、結果的にすでに存在している曲に似たものを作ってしまったりする」

私は何もいわず、彼の話を聞いていました。この男はこれで本当に私が納得するとでも思っているのだろうかと、不思議な思いがしていました。

「まあしかし今回の場合は、おまえのほうからクレームをつけてこなかったのでよかったよ。それは結局我々が知らない仲ではなく、これまでに築きあげてきた人間関係というものがあったからだと思う。おまえが衝動的な行動に出たりせず、大人の態度に徹してくれたことは、お互いにとっても非常によかった」

いいたいことは要するにこういうことなのかなと私は思いました。下手に騒がなかったことは正解だ、これからもこの件については口を閉じていろよ、そうしたらこっちも殺人未遂のことは黙っててやる――。

ところがこの後で日高は妙なことをいいだしたのです。

「で、本題はここからなんだがね」彼は私の顔を覗きこむように上目遣いをしました。「そういったいろいろな要素が組み合わさって、『燃えない炎』という作品は生まれた。そうしてあの作品は、多くの人間に受け入れられ、文学賞という勲章まで呼びこんできた。となるとこの成功を、一度かぎりの偶然で終わらせるのは、非常に惜しいという気がするんだがね」

私は自分の顔から血が引いていくような感覚を味わっていました。日高は、また同じことをしようとしているのです。『丸い炎』を書き直して『燃えない炎』を発表したように、再び私の作品を下敷きにして、新作を生み出そうと企んでいるのです。そういえば私は彼に、もう一本小説を預けてあるのでした。

「今度はあれを盗作するつもりなのか」と私はいいました。

日高は顔をしかめました。

「そういう言葉をおまえが使うとは思わなかったな。盗作とはね」

「ここでは誰も聞いていないからいいだろう。どんなに回りくどい言い方をしたって、盗作は盗作だ」

しかし彼は全く平気でした。顔色を変えず、次のようにいいました。

「盗作とはどういうことか、よくわかっていないようだな。『広辞苑』があるなら調べてみるといい。そこにはこんなふうに書いてある。盗作——他人の作品の全部または一部を自分のものとして無断で使うこと。なっ、俺のいいたいことがわかるだろう。無断で使えば盗作だ。だがそうでなければ盗作とはいわない」

『丸い炎』は無断で使われた、と心の中で反論しました。

「また僕の作品を下敷きにして小説を書くが、文句をいうなということか」

私の言葉に彼は肩をすくめました。

「どうやら誤解があるようだな。俺はおまえに取引をもちかけているんだ。決しておまえにとっても悪い条件ではない取引をね」

「いいたいことはわかっている。盗作について目をつぶれば、あの夜のことを警察にはいわないというんだろう」

「そう喧嘩腰になるなよ。あの夜のことは見逃してやるといったじゃないか。俺がいう取引というのは、もっと前向きな話だ」

こんな話に前向きも後ろ向きもあるものかと思いましたが、とりあえず私は黙って彼の口元を見つめました。

「なあ野々口、おまえには作家になる才能はあると思うよ。だけどそのことと、作家になれるかどうかってことは別だ。もう一ついうなら、売れる作家になれるかどうかってことも才能とは関係ない。そこまで行くには、特別な運ってものが必要なんだ。これは幻みたいなものでね、誰もが掴もうとするが、絶対に思い通りにはならない」

この台詞《せりふ》をいった時の日高の顔には、幾分真剣味が漂っているようでした。もしかしたら彼自身、思うように売れなくて悩んでいた時期があったからかもしれません。

「『燃えない炎』が当たったのを、おまえは内容がよかったからだと思っているだろう？　もちろんそれは否定しない。だけどそれだけじゃだめなんだ。極端な例をあげてみよう。あの本を出したのが俺でなくおまえだったらどうか？　作者のところに、野々口修と印刷してあったらどうだったか。おまえはどう思う？」

「そんなこと、やってみないとわからない」

「俺はだめだったと断言できる。あの小説は世間から無視されておしまいさ。おまえは大海に小石を投げたような空しさを感じるだけだろう」

ずいぶんひどい言い方ですが、私には反論できませんでした。出版の世界については、私にも人並みの知識はあります。

「だから自分の名前で発表したというのか」と私はいいました。「そうしたことに正当性はあると」

「あの作品にとっては、作者が野々口修ではなく日高邦彦でよかったといっているんだ。そうでなかったら、あれほど広く読まれることはなかった」

「まるで恩に着せているように聞こえるね」

「無論そんなつもりはない。だけど真実をいっているつもりだ。一つの作品が注目されるには、うんざりするほど数多くの条件をクリアしなければならない」

「そんなことはいわれなくてもわかっている」

「それがわかっているなら、これから俺がいうことも理解してもらえると思うがね。つまりこういうことだ。今後おまえは日高邦彦という作家になる」

「なんだって？」

「そんなに驚いた顔をするなよ。大したことじゃない。もちろん俺もまた日高邦彦だ。この場合、日高邦彦というのは人の名前ではなく本を売るための商標とでも考えればいい」

ようやく彼のいいたいことがわかってきました。

「要するに、ゴーストライターになれというわけか」

「その言葉には卑屈な響きが含まれているから好きじゃないんだが」日高は頷いて続けました。「まあ、わかりやすくいうとそういうことだ」

私はしげしげと彼の顔を見つめました。

「よくそんなことがいえるものだな」

「さほど突飛なことをいっているつもりはないぜ。さっきもいったが、おまえにとっても決して悪い話ではないはずだ」

「これ以上悪い話はないよ」

「まあ聞けよ。俺のために作品を供出してくれたら、それが単行本になった時、印税の四分の一を支払おうじゃないか。それでも悪い話かい」

「四分の一？　実際に書いた人間が、半分ももらえないのか。それはまた、なんとも素晴らしい条件だ」

「じゃあ訊くが、仮におまえの名前で本を出したら、どれだけ売れると思う？　日高邦彦の名前で出した時の、四分の一よりも多く売れると思うのか」

こう訊かれると、私としてはいい返す言葉がありません。もし本当に私の名前で出したら、四分の一どころか五分の一いえ六分の一にだって及ばないでしょう。

「とにかく」私はいいました。「金で魂を売る気はないよ」

「断るというのか」

「当たり前だ」

「ほう」日高は意外だという顔をしました。「まさか断られるとは思わなかったな」

ねっとりとした口調に私は寒気を覚えました。果たして彼は顔つきを変えてきました。陰険な光が目の奥に宿っていました。

「俺はいい関係を保とうと思ったんだけどね、おまえのほうにその気がないのなら仕方がないな。こっちとしても、甘い顔ばかりはしていられない」そういうと日高は傍らのバッグの中から四角い包みを出してきて、テーブルの上に置きました。「これを置いていこう。俺が帰ったら、一人でじっくりと見てくれ。頃合いを見計らって、またこちらから連絡する。その時には気が変わっていることを祈るよ」

「なんだ、これ」

「見ればわかる」そして日高は立ち上がりました。

彼が出ていってから、私は包みを開きました。中に入っていたのはVHSのビデオテープでした。この時点では、まだ何のことかわかりません。不吉な予感を胸に抱いたまま、私はテープをビデオデッキにセットしました。

加賀刑事ならもうおわかりですね。モニター画面に映し出されたのは、日高家の庭を撮影したものでした。画面の斜め下に表示されている日付を見て、私は心が凍りつくようなショックを受けました。それは紛れもなく、私が日高を殺そうとした日でした。

やがて画面に一人の男が登場してきました。黒っぽい服に身を包み、目立たないように工夫してはいますが、顔ははっきりと映っていました。お粗末なものです。なぜあの時覆面をつけることを思いつかなかったのでしょう。

侵入者が野々口修という人間であることは、誰の目にも明らかでした。その愚かな男はカメラで撮影されていることも気づかず、庭に面した窓を開け、日高の仕事部屋に侵入していきました。

ビデオに映っていたのはそれだけです。しかし充分な証拠といえるでしょう。仮に殺人未遂を否定したところで、では何のために日高家に忍び込んだのかと訊かれれば、私には何とも答えようがないのです。

ビデオを見た後しばらく、私は放心状態でした。あの殺人未遂の夜に日高がいった言葉が、頭の中で何度も再生されました。

「忘れるな。証拠はこれ（私が凶器として用意していったナイフのことです）だけじゃない。もう一つ、絶対に言い逃れできない証拠がある」という台詞です。日高はこのテープのことをいっていたのです。

どうしていいかわからず途方にくれていると、電話が鳴りだしました。日高からでした。まるで私の行動を監視していたかのような、絶妙のタイミングでした。

「見たかい？」と彼は尋ねてきました。声に、なんとなく面白がっているような響きがありました。

見た、と私は短く答えました。

「そうか。どう思った？」

「どうって……」私は一番気になっていることを尋ねてみました。「やっぱり知っていたんだな」

「何をだい」

「あの夜僕が……君の部屋に忍び込むことを、だよ。だからテレビカメラを仕掛けておいたんだろう？」

私の言葉に、電話のむこうにいる彼は吹き出したようでした。

「どうすれば、おまえが俺を殺しに来ることを予測できるんだ。そんなこと、夢にも思わなかったさ」

「だけど……」

「それとも」と彼は言葉をかぶせてきました。「おまえは誰かに話したのか？　あの日あの時間に、俺を殺しに行くってことをさ。それならば壁に耳ありってこともあるから、その話が偶然俺の耳に入ることもありうるだろうけどさ」

私は気づきました。日高は私に、初美さんが共犯であることを語らせようとしていたのです。いえ正確にいうならば、初美さんとのことを決して私が口に出せないのを知っていて、いたぶっているのです。

私が何も答えないでいると、彼はこんなことをいいました。

「カメラをセットしておいた理由はだな、あの当時庭を悪戯《いたずら》されることが多くてね、犯人を突き止めてやろうと思ったからなんだ。だからまさかあんな映像をとらえることになるとは、夢にも思わなかった。今ではカメラはもう外してある」

こんな話が信用できるはずもありませんでしたが、文句をつけてみても始まりません。

「それで？」と私はいいました。「このビデオを見せて、僕にどうしろというんだ」

「それをわざわざ俺のほうからいわなきゃならないほど、おまえは馬鹿じゃないだろう。それからいい忘れてたが、そのテープは当然ダビングしたもので、オリジナルは俺の手元にある」

「こんなふうにして脅《おど》して、無理やり僕にゴーストライターを引き受けさせたって、まともな作品なんか出てこないぜ」

こういってから私はしまったと思いました。とにかく彼の脅迫に屈服する姿勢を見せてしまったからです。しかし抵抗する術《すべ》がないのも事実でした。

「いや、おまえはきっとやってくれるよ。そう信じている」日高は勝利を確信した口調でいました。彼としては、ついに壁を突破した気分だったのでしょう。

「また連絡する」そういって彼は電話を切りました。

それから何日間か、私は幽霊のように毎日を送りました。これから自分がどうなっていくのか、全くわかりませんでした。学校には出ていましたが、当然のことながら授業をするのも上の空で、おそらく生徒から苦情でも出たのでしょう、校長に呼ばれて叱責《しっせき》されたりもしました。

そして私は偶然本屋で見つけたのです。ある小説雑誌に日高が小説を一挙掲載しているのを。文学賞受賞後の、第一作でした。

私は手の震えを止められぬまま、その小説に目を走らせました。その途端眩暈《めまい》がし、本屋で倒れそうになったのです。予想通りでした。その小説は私が日高に読んでくれといって渡した、二番目の作品が下敷きになっていました。

何もかもが自分ではどうしようもない方向へと転がり始めているようでした。あの殺人未遂の夜を思い出しては、自分がいかに愚かだったかを噛み締める毎日でした。私はいっそのこと、どこかへ姿をくらまそうかと考えました。しかしそれをするだけの決断力が私にはなかったのです。日高に見つからないためには、遠くへ行ったとしても住民票を移すわけにはいかず、そうなると当然これまでのように教職に就くことは不可能になるでしょう。ではどうやって生活していくか。頑健でない私としては、肉体労働をする自信がなかったのです。全く、自分の生活力のなさを、あの時ほど痛切に感じたこともありませんでした。さらに、初美さんをそのままにしていくのも気掛かりでした。一体彼女は日高のそばで、どんな思いをしながら毎日を送っていたのでしょうか。想像するたびに心が痛みました。

この日高の受賞後第一作目も間もなく単行本化され、順調に売れているようでした。ベストセラーのランクに入っているのを見るたび、複雑な気持ちになりました。悔しさの中にごくわずかですが、誇らしい気分もあるのです。そしてこうした現象を客観的に捉《とら》え、たしかに自分の名前で出していたら、これほど売れることはないだろうと、冷静に分析している部分もなくはなかったのです。

それから幾日経ったでしょうか。ある日曜日、またしても日高がやってきました。彼は悪びれた様子もなく、私の部屋に入り、前と同じようにソファに腰を下ろしました。

「約束のものだ」そういって彼は封筒をテーブルに置きました。手に取って中を見ると、札束が入っていました。二百万円ある、と彼はいいました。

「どういうことだ？」

「どういうことも、こういうこともないだろう。本が売れたから、おまえの取り分を持ってきたんだ。約束通り、四分の一だ」

私は驚いて封筒の中を眺め、それから首を振りました。

「魂は売らないといったはずだ」

「大げさに考えるな。俺とおまえとで合作をしていると思えばいい。合作者というのも、今ではそんなに珍しくないぜ。報酬を受け取るのは、おまえの当然の権利だ」

「君のしていることは」と私は日高を見ていいました。「強姦犯人が女性に、買春代《かいしゅん》を渡すようなものだ」

「違うな」

「どう違う？」

「強姦されるのがわかっていながら、じっとしている女はいない。だけどおまえは動かなかった」

この日高の言葉に、情けなくも私は返事に窮しました。

「とにかく、この金は受け取れない」辛《かろ》うじてそういって、封筒を押し戻したのです。日高は封筒に目を落としただけで、手を伸ばそうとはしませんでした。それをそこに置いたままでいいました。

「じつはこれからのことも話し合いたいと思ってやってきたんだ」

「これからのこと？」

「具体的には次の作品のことだ。月刊誌で連載をすることになっている。そこにどういう作品を書くか、相談しておきたい」

もはや私がゴーストライターになることは決定しているかのような口ぶりです。そして私が少し抵抗する素振《そぶ》りを見せたら、すかさず例のビデオテープのことを持ち出してくるつもりなのでしょう。

私はかぶりを振りました。

「君だって作家なんだからわかるだろう。僕の今の精神状態で、小説のストーリーなんて考えつくはずがないじゃないか。君が僕に強要していることは、物理的にも精神的にも土台無理なことなんだ」

しかし彼は一歩も下がりませんでした。私が思ってもみなかったことをいいだしたのです。

「たしかに今すぐ何か話を作れといわれても困るだろう。だけど、すでに出来上がっている話を取り出してくるぐらいのことは、そう難しくないんじゃないか」

「出来上がっている話なんかないよ」

「ごまかすなよ。同人雑誌を作ってた頃に、いくつか書いたっていってたじゃないか」

「ああ、あれは……」私は意表をつかれた思いでした。「あんなもの、もうないよ」

「嘘だ」

「本当だよ。とっくに処分した」

「そんなはずはない。物書きってのは、自分の書いた文章を、必ずどこかに残しておくものなんだ。それでもないと言い張るなら、家捜しさせてもらうしかないな。といっても、そうあちこち調べる必要はないだろう。本棚か引き出し。その程度で事足りるはずだ」そして彼は立ち上がり、隣の部屋へ向かいかけたのでした。

私はあわてました。彼のいうとおり、習作を書いた大学ノートが本棚に収めてあったからです。

「ちょっと待ってくれ」

「素直に出す気になったか」

「……あんなもの、何の役にも立たないよ。学生時代に書いたんだぜ。文章はお粗末だし、話の作りだって荒い。とても大人の小説とはいえない代物なんだ」

「それは俺が判断するよ。それに完成品を求めてるわけじゃない。原石でいいんだ。それを俺が磨いて商品に仕上げる。『燃えない炎』だって、俺の手が加えられたからこそ、文学史に残る作品になったんだ」日高は自信満々でいいました。人のアイデアを盗んでおいて、これだけ誇らしげにできる神経というものが、私にはちょっと理解できませんでした。

私は日高にソファで待っているようにいい、隣の部屋に入りました。

本棚の一番上の段に、古い大学ノートが八冊差し込んでありました。私はその中から一冊だけを抜き取りました。するとその時です。突然日高が部屋に入ってきたのです。

「待ってくれといったじゃないか」

そういいましたが彼は何もいわずに私の手からノートを奪い取ると、ぱらぱらと中に目を通しました。次に本棚に目を転じるや否や、残りのノートも全部抜き取ったのです。

「小細工しようとしたな」彼はにやにやしていいました。「おまえが抜き取ったノートには、『丸い炎』の原型が書いてあるだけじゃないか。これだけ渡してお茶を濁すつもりだったんだろう」

私は唇を噛み、うつむきました。

「まあいい。とにかくこのノートは全部俺が預かっておく」

「日高」私は顔を上げて彼にいいました。「こんなことをして恥ずかしくないのか。他人が学生時代に書いたものを拝借しなきゃならないほど、才能が枯渇《こかつ》してしまったのか」

これはこの時の私にできる、最大の攻撃でした。とにかく少しでも彼にダメージを与えたかったのです。

そしてこの言葉は効果があったようです。彼は目を血走らせて私を睨むと、襟元《えりもと》を摑んできました。

「作家がどういうものかもわからねえくせに、でかい口を叩くな」

「わからないさ。でもこれだけはいえる。こんなことまでしなきゃならないなら、作家なんて悲しいものだな」

「その作家に憧れたのは、どこのどいつだ」

「もう憧れたりしない」

私がいうと、彼は手を離しました。そして、「それが正解だろうな」と吐き捨てて、部屋を出ていこうとしました。

「ちょっと待てよ。忘れものだ」私は二百万円の入った封筒を取り上げ、彼のほうへ差し出しました。

日高は封筒と私の顔を見比べた後、肩をすくめて受け取りました。

それから二、三ヵ月経った頃、ある雑誌で日高の連載が始まりました。私はそれを読んで、例のノートの中の一作が下敷きになっていることを発見したのでした。でもこの時には諦《あきら》めといいますか、ある程度覚悟はできていたので、さほどショックでもありませんでした。もはや作家になることは断念していましたので、どういう形にせよ、自分の考えたストーリーが世の中の人に読んでもらえるのなら、これもまたいいかもしれないなどと思ったほどです。

相変わらず初美さんからは時々連絡がありました。彼女は自分の夫に対する軽蔑の言葉を吐き、私に詫び続けました。そしてこんなこともいうのでした。

「もし野々口さんが、あの人を殺そうとしたことで警察に自首したほうがいいと思われるのなら、私のことは考えていただかなくて結構です。私は野々口さんと一緒なら、いつでも処罰される覚悟はできていますから」

初美さんは、私がおとなしく日高のいいなりになっているのは、彼女を巻き添えにしたくないからだと察してくれていたのです。この言葉を聞き、私は涙が出るほどうれしく思いました。会えなくなっても、我々の心は繋がっているのだと実感できました。

「あなたはそこまで考えなくていい。僕が何とかしてみせる。きっとどこかに道はあるはずだと思うから」

「でも私、あなたに申し訳なくて……」彼女は電話の向こうで泣いていました。

私は慰めの言葉をかけ続けましたが、じつのところ私には、これからどうしていいか全くわからなかったのです。きっと道はあるはずだなどと口ではいっているものの、その言葉の空しさを痛感していました。

この頃のことを思い出すたび、私は後悔の念に苦しめられます。あの時なぜ彼女のいうとおりにしなかったのだろうと思うのです。二人で自首していれば、それからの人生は、全然違うものになったはずだと確信します。少なくとも、私はこの世で最も大切なものをなくさずに済んだのです。

私が何のことをいっているかはおわかりですね。そうです。初美さんの死のことをいっています。あの悪夢のような日のことは、一生忘れないでしょう。

事故のことは新聞で知りました。彼女が売れっ子作家の妻であったため、その記事は通常の交通事故を扱う時よりも大きなものとなっていました。

警察でどのような調査が行われたのかは知りませんが、あれが単純な事故であることを疑う記述は新聞にはなかったと思います。のちに事故という解釈に変更があったという話も、私は聞いたことがありません。しかし私は事件を知った時から確信していました。あれは事故などではありません。彼女は自ら命を絶ったのです。その動機については、わざわざ書くまでもないでしょう。

考えてみれば彼女を死なせたのは私自身かもしれません。私が冷静さを失い、日高を殺そうなどと考えなければ、こんなことにはならなかったのです。

虚無的といいましょうか、この頃の私はただ生きているというだけの人間でした。彼女の後を追って自殺する気力すらなかったのです。身体の具合も悪くなり、学校をしばしば休みました。

日高は初美さんの死後も、変わらずに仕事を続けていました。私の作品を下敷きにした小説のほかに、彼自身のオリジナル作品も発表していたようです。どちらのほうが評価が高かったのかは、よく知りません。

その彼からある郵便物が送られてきたのは、彼女が死んでから半年ほど経った頃でした。大きな封筒の中に、ワープロで印刷されたA４の紙が三十枚ほど入っていました。

最初それは小説かと思いました。しかし読んでいくうちに、とんでもないものだと判明しました。それは初美さんの日記と、日高の独白を組み合わせたものだったのです。日記の部分では、初美さんがNという男（私のことです）と特別な関係に陥っていく過程や、ついに共謀して夫を殺そうと画策することなどが克明に描写されていました。一方の日高の独白では、妻の心が離れていることに気づかなかった夫の悲しさが淡々と語られています。そして例の殺人未遂事件が起きます。ここまでは事実といえなくもありませんが、この先は明らかに日高による創作でした。初美さんは自分の過《あやま》ちを悔い、夫に許しを乞うたことになっているのです。日高は長い時間をかけて彼女と話し合い、もう一度やり直す決心をします。ところが、さあこれからという時になって初美さんが交通事故に遭ったというのです。この奇妙な読み物は、彼女の葬式のシーンで締めくくられていました。読み手によっては、感動的と評価するかもしれない代物でした。

唖然《あぜん》としました。これはなんだと思いました。するとこの夜になって、日高から電話がかかってきたのです。

「読んでくれたか」と彼はいいました。

「どういうつもりだ。あんなものを書いて」

「来週、編集者に渡すつもりだ。来月出る雑誌に掲載されるだろう」

「正気か。そんなことをしたら、大変なことになるじゃないか」

「かもしれないな」日高は落ち着いていました。それで余計に不気味でした。

「こんなものを載せたら、僕だって本当のことをいうぞ」

「何をいうんだい？」

「決まってるだろ。君が僕の作品を盗作したことだ」

「ほう」彼はうろたえませんでした。「そんなことを誰が信用する？　証拠もないのに」

「証拠……？」

　はっとしました。例のノートを日高に奪われた以上、彼の盗作を証明することは不可能なのでした。そして私は気づいたのです。初美さんの死は、唯一の証人の死でもあったのだと。

「まあしかし」と日高はいいました。「この手記は今すぐに発表しなければならないというものでもない。話によっては、見合わせてもいい」

　彼のいいたいことが薄々わかってきました。すると予想通り彼はいったのです。「原稿用紙で五十枚。そういう小説があれば、代わりにそっちを編集者に渡してもいい」

結局彼の目的はこれだったのです。私がなんとしてでもゴーストライターにならざるをえない状況を作りたかったのです。そして私には対抗手段がありませんでした。初美さんのためにも、こんな手記を出されるわけにはいかなかったのです。

「いつまでに書けばいいんだ」と私は訊きました。

「来週の末までだ」

「これが最後なんだろうな」

しかしこの問いに彼は答えませんでした。

「じゃ、完成したら連絡してくれ」そういって電話を切ったのです。

厳密にいえばこの日が、私が彼のゴーストライターになった日だということになります。この日以後私は十七の短編小説と、三つの長編小説を彼のために書きました。警察に押収されたフロッピーディスクに入っていたのが、それらの作品です。

加賀刑事としては不思議かもしれませんね。なんとか抵抗する方法はなかったのかと疑問に思っておられることでしょう。正直にいうならば、私は日高との心理合戦に疲れはててしまったのです。彼のいいなりになって小説を書いてさえいれば、とにかく私と初美さんの過ちを暴かれずに済むのだから、そのほうが楽だと思うようになったのです。それに奇妙なことですが、二、三年すると、私と日高の関係はなかなか息の合った合作者のものになっていました。

児童文学を扱う出版社に私を紹介してくれたのは、彼自身が子供向けの小説には関心がなかったからでしょう。しかし私に対して少しは罪悪感を持つようになっていたのかもしれません。ある時こんなことをいったのです。

「次の長編が終わったら解放してやるよ。コンビ解消だ」

私は耳を疑いました。「本当かい」

「本当だよ。ただし、おまえは子供向けの小説だけを書くんだ。俺のテリトリーには入ってくるな。わかったな」

大げさでなく夢のようだと思いました。ようやく自由になれるのです。

この日高の変化の裏に、理恵さんとの結婚があることは、それから少しして知りました。彼等はバンクーバーに移住することを考えており、それを契機に日高も今までの腐れ縁を清算しようと思ったらしいのです。

新婚の二人はバンクーバーに旅立つ日を心待ちにしていたでしょうが、おそらく私の気持ちは彼等以上だったと思います。

そしてあの日を迎えたのです。

あの日私は『氷の扉』の原稿が入ったフロッピーを持って、日高の家へ行きました。彼に直接フロッピーを渡すのは、これが最後になるはずでした。彼がカナダに行った後は、ファックスで原稿を送る手筈になっていました。私はパソコン通信のできる機械を持っていないからです。そしてこの『氷の扉』の連載が終われば、私たちの関係は消滅することになっていました。

私からフロッピーを受け取った日高は、上機嫌でバンクーバーの新居のことなどを話しました。私はそれらを一通り聞いた後で、自分のほうの用件について切り出しました。

「ところで例のものなんだけど、今日返してくれるという約束だったよな」

「例のもの？　何だったかな」忘れているはずはないくせに、一応こんなふうにはぐらかさないと気が済まないというのが、日高の性格です。

「ノートだよ。例のノート」

「ノート？」一度首を傾げるふりをしてから、ああ、と頷きました。「あのノートだな。忘れるところだった」

彼は事務机の引き出しを開け、中から古い大学ノート八冊を取り出してきました。紛れもなく、かつて彼に奪われた私のノートでした。

何年ぶりかで戻ってきたノートを、私はしっかりと胸に抱きました。これさえあれば日高の盗作を立証できるわけで、彼と対等になれると思ったからです。

「うれしそうだな」と彼はいいました。

「それはまあね」

「だけど考えたんだが、そのノートに何か意味があるのかね」

「意味？　そりゃああるじゃないか。君が発表したいくつかの小説の原型は、僕が書いたものだということの証拠になる」

「そうかな。しかし逆の解釈も成り立つんだぜ。つまりそのノートの中身は、俺の作品を見てから書かれたものだっていうふうにも考えられるわけだ」

「何だって……」私は背中に寒気を覚えました。「そんなふうに言い逃れするつもりなのか」

「言い逃れ？　一体誰に言い逃れするんだよ。だけどもしおまえがそれを第三者に見せるようなことになれば、俺としてはそういわざるをえないだろうな。で、第三者がどちらの言い分を信じるかだ。いや別にこんなことで議論する気はないんだ。だけどもしそのノートを取り戻したことで、おまえが俺に対して少しでも有利になったと考えているなら、それは錯覚だといっておきたくてね」

「日高」私は彼を睨みつけました。「僕はもうゴーストライターはしない。君のために小説を書くのは……」

「『氷の扉』が最後、だろう。わかってるよ、そんなことは」

「じゃあどうしてそんな言い方をするんだ」

「特に理由はないね。我々の関係に変化はないということをいいたいだけさ」

冷笑を浮かべた日高を見て、私は確信したのです。この男は私を解放する気はないのだと。いつかまた必要な時が来れば利用するつもりなのだと。

「テープとナイフはどこにある？」と私は訊きました。

「テープとナイフ？　何のことだ」

「とぼけるなよ。例のナイフとビデオテープのことだ」

「あれは大切に保管してある。俺だけが知っている場所にね」

日高がいった時、ノックの音がしました。そして理恵さんが入ってきて、藤尾美弥子の来訪を知らせたのでした。

本来なら会いたくない相手のはずでしたが、日高は会おうといいました。私を追い返したかったからに違いありません。

私は内心の怒りを隠し、理恵さんに挨拶して日高家の玄関を出ました。手記には彼女が門の外まで送ってくれたように書きましたが、加賀刑事が指摘されたとおり、本当は玄関まででした。

玄関を出ると、私は庭を回って日高の仕事部屋のほうへ行きました。そして窓の下に潜み、日高と藤尾美弥子のやりとりを聞きました。予想通り日高はのらりくらりと対応していました。彼女が問題にしている『禁猟地』という小説は、すべて私が書いたものなのですから、日高としては何らはっきりしたことを口にできないのです。

やがて藤尾美弥子は苛立《いらだ》った様子で帰っていきました。そして間もなく理恵さんも、家を出ました。さらに間もなく日高も部屋を出たのです。どうやら手洗いに行ったようでした。千載一遇《せんざいいちぐう》のチャンスだと私は思いました。そして覚悟を決めました。今を逃したら、もう二度と日高の魔手から逃れることはできない、と。

窓の鍵があいていたのは幸運でした。私は忍び込み、日高が部屋に戻ってくるのをドアの横で待ちました。手には真鍮《しんちゅう》製の文鎮《ぶんちん》が握られていました。

後のことはあまり説明する必要もないと思います。私は彼が部屋に入ってくるや否や、後ろから思いきり頭を殴りつけました。彼は一瞬にして倒れました。しかし死んだかどうかはわかりませんでした。それで念のためにと思い、電話コードで首を絞めたのです。

その後のことは加賀刑事の推理通りです。私は彼のパソコンを使って、アリバイ工作することを考えつきました。告白しますと子供向けの推理小説を書く時にと思い、以前から用意してあったトリックです。お笑いください。文字どおりに、子供だましのトリックだったのですよ。

それでも私は自分の犯行が露呈しないことを祈り続けました。そしてまたそれと同程度に、数年前の殺人未遂の一件が暴露しないことを願いました。私が理恵さんに、日高が撮影したビデオテープがカナダから戻ってきたらすぐに知らせてほしいといったのも、その思いからです。

しかし加賀刑事は次々に私の秘密を暴いていきました。その鋭い推理力には、はっきりいって憎悪さえ感じました。もちろん加賀刑事を恨んでも仕方がないのですがね。

最初に書きましたが、『夜光虫』の本の内部をくりぬき、その中に証拠のテープを隠してあったとは驚きです。『夜光虫』という作品は、数少ない日高自身の手による小説なのですが、その中に書かれている主人公が妻と愛人に殺されかけるシーンは、いうまでもなく例の夜の事件をイメージしてのものでした。私が窓から侵入する映像と、その内容の符合に気づいたからこそ、加賀刑事は真相に到達したわけですから、日高の執念というものを感じずにはいられません。

告白すべきことは以上です。私としては初美さんとのことをどうしても秘密にしておきたく、そのため動機を話すわけにもいきませんでした。大変ご迷惑をおかけしましたが、少しでも気持ちを理解していただければ幸いです。

今はどんな罰でもうけるつもりです。

過去の章 その一　加賀恭一郎の記録

五月十四日、野々口がこの三月まで勤務していた市立第三中学校へ出向いた。放課になったところで、帰宅する生徒たちが大勢門から出てくるところだった。グラウンドでは陸上部員と思える男子が、トンボを使って地面をならしていた。

事務室の窓口で身分を名乗った後、なるべく野々口と親しかった教師に会いたいと申し入れた。女性事務員は上司と相談したり、職員室のほうへ連絡に走ったりした。思ったより手間取るのでいらいらしたが、学校というのはこういうところだったと思い出した。二十分近く待たされた後で、ようやく応接室に案内された。

江藤《えとう》という小柄な校長と、藤原《ふじわら》という男性の国語教師が会ってくれた。校長が同席したのは、藤原教諭が余計なことをしゃべらぬかどうか見張るためだろう。

私はまず二人に、日高邦彦が殺された事件について知っているかどうか尋ねた。二人ともよく知っていると答えた。野々口が日高のゴーストライターだったことや、それに関する一連の確執《かくしつ》が殺人の動機であることも承知していた。むしろ彼等は私から、さらなる情報を得ようとしているようだった。

野々口がゴーストライターをしていたことについて、何か思い当たることはないかと質問したところ、藤原教諭はやや遠慮がちに次のように語った。

「彼が小説を書いていたのは知っていました。彼の作品が載った児童雑誌を読んだこともあります。でもまさかゴーストライターをしていたとは夢にも思いませんでした。しかもあの人気作家の、ですからね」

「野々口が小説を書いているところは御覧になったことがないのですか」

「それはありません。彼だって、学校では教師の仕事があったわけですから、自宅に帰ってからだとか休日に執筆していたんでしょうね」

「そういうことが可能なほど、野々口の教師としての仕事は負荷が軽かったということですか」

「いや、あの人の仕事が特に楽だったということはないはずです。ただ帰宅するのは早かったですね。去年の秋あたりから特にそうでした。それから学校行事に関する雑用なんかは、いつも巧みに逃れていました。病名までは詳しく知られてませんでしたが、あの人が健康を害しているということはわりと有名だったので、みんなも大目に見ているところがあったんです。でも実際にはそんなふうにして時間を作って、日高邦彦の小説を書いていたんですね。全く驚くべき話です」

「去年の秋頃から帰宅が早くなったということですが、そのことは具体的に何かの記録には残っていないのですか」

「どうですかね、タイムカードなんかはありませんから。でもたしかに去年の秋からですよ。国語の教師だけで集まる会というのが、二週間に一度ぐらいの割合であるんですがね、それにも参加しなくなったんですから」

「それまではそういうことはなかったのですね」

「あまり仕事熱心な人ではなかったけれど、それまでは参加していました」

この後私は野々口修の人柄についても質問してみた。

「無口で、何を考えているのかわからない人でした。いつもぼんやりと窓の外ばかり眺めてましたよ。でも今から思うと、あの人も苦しんでいたんですね。根は悪い人ではないと思います。あんな仕打ちを受けていたわけですから、ついかっとなって取り返しのつかないことをしてしまったというのもわかるような気がします。日高邦彦の小説は私も好きで何冊か読んでいるんですが、本当は野々口さんが書いたのだと思うと、また違った感慨があります」

私は礼をいって中学校を後にした。

中学校からの帰り道、大きな文房具店があった。私は中に入り、レジのところにいた女性に野々口修の写真を見せ、この客がここ一年ぐらいの間に来なかったかと尋ねた。見たような気もするがはっきりしたことは思い出せないと、女性店員は答えた。

五月十五日、日高理恵に会いに行った。彼女は一週間ほど前から、横浜のマンションに移り住んでいた。こちらから連絡を取った時、彼女はひどく憂鬱そうな声を出した。事件のことに触れられたくないからこそ引っ越したのだろうから、これは当然といえた。それでも私と会うことを承諾したのは、私がマスコミ関係者ではなく刑事だからだろう。

マンションの近くにあるショッピングセンター内の喫茶店で、私たちは待ち合わせをしていた。マスコミの目が気になるから部屋には来て欲しくない、と彼女がいったからだ。

バーゲンセールをしているブティックの隣にある喫茶店は、外から客の顔が見えることがなく、しかもほどほどに雑然としているため、他人に聞かれたくない話をするにはうってつけだった。その店の一番奥のテーブルで、私たちは向き合った。

私はまず、何か変わったことはないかと尋ねた。それに対して日高理恵は微苦笑した。

「相変わらず、あまり愉快でない毎日を送っています。早く、周囲が静かになってくれればと思うんですけど」

「刑事事件に関わりますと、どうしてもしばらくはゴタゴタするものです」

私はいったが、慰めにはならなかったようだ。彼女はかぶりを振り、苛立った口調でまくしたてた。

「今度のことが刑事事件で、被害者が私たちのほうだってことを、世間の人たちはどれだけ認識しておられるんでしょうか。まるで芸能人のスキャンダルみたいに扱われて、しかもこちらが悪者みたいにいわれているんですよ」

これについては否定できなかった。たしかにテレビのワイドショーでも週刊誌でも、日高邦彦が殺されたことよりも、彼が友人の作品を盗んでいたことのほうを大きく取り上げている。しかもその裏に、前妻の不倫が関わっていたとなれば、普段文壇とは縁のない芸能レポーターたちまでもが喜んで飛びつくのも当然といえた。

「マスコミのことなど無視したほうがいい」

「もちろん無視できるものはします。そうしませんと、神経がもちませんから。でも生憎《あいにく》、煩わされているのはマスコミだけじゃないんです」

「何かありましたか」

「ええ、いろいろと。嫌がらせ電話や手紙が殺到しています。しかもどうやって調べたのか、私の実家にです。主人の家にもう私が住んでいないことは、マスコミを通じて知れわたっているからでしょうね」

ありそうなことだった。

「そのことを警察には届けましたか？」

「一応届けました。でもこういうことって、警察に届けたから解決するってものでもないでしょう？」

それは彼女のいうとおりだったが、そう口に出していうわけにはいかなかった。

「電話や手紙の内容は、どういったものが多いですか」

「それもやっぱりいろいろです。これまでの印税を返せというものもありますし、応援してきたのに裏切られた、という内容の手紙と一緒に、主人の著作を段ボールに詰めて送ってきた人もいます。あとそれから、文学賞を返せといってきている手紙も多いです」

「なるほど」

そういった嫌がらせをしている人間のすべてが、実際に日高邦彦のファンであったり、本物の文学愛好家である可能性は低いだろうと私は推察した。いやむしろそれらのうちの殆どは、これまで日高邦彦という名前さえ知らなかったのではないか。その種の人間というのは、とにかく人に不快感を与えることで歓びを得ようとしているにすぎず、どこかにそのチャンスがないものかといつも目を光らせているのだ。したがって相手は誰であってもいいわけだ。

そのように私がいうと、日高理恵も同感だというように頷いた。

「皮肉なことに、主人の本がとてもよく売れてるんですって。それもたぶん覗き趣味なんでしょうね」

「いろいろな人間がいますから」

日高邦彦の本が売れていることは私も知っていた。しかし現在出回っているのは在庫の分だけで、版元としては増刷する気はないらしい。私はゴーストライター説を否定していた編集者のことを思い出した。彼等もしばらくは静観しているつもりなのだろうか。

「ああところで、野々口さんの親戚の方からも連絡をいただきました」

彼女はなんでもないことのようにいったが、この情報は私を驚かせた。

「野々口の親戚から？　どういう内容ですか」

「これまでの著作による利益の返還請求をしたいということらしいです。野々口さんの作品が下敷きにされた本については、少なくとも原作料は受け取る権利があるはずだというものでした。叔父《おじ》という人が、代表になっておられます」

叔父が出てきたのは、野々口にきょうだいがおらず、両親も他界しているからだろう。それにしても、利益の返還請求とは驚いた。いろいろなことを考えつく人間がいるものだ。

「それでどのように返答されたのですか」

「弁護士の先生と相談してからお答えしますと申し上げました」

「それがいいでしょうね」

「正直なところ、一体どういうことなんだろうと思います。被害者はこっちなのに、犯人の親戚の人からお金を要求されるなんて、聞いたことがありません」

「こういうケースは特異ですし、自分はその方面の法律に詳しくないのではっきりしたことはいえませんが、おそらく支払う必要はないと思いますよ」

「ええ、私もそう思っています。でもね、問題はお金じゃないんです。主人が殺されたことは、まるで自業自得のように世間の人からいわれるのが悔しいんです。野々口さんの叔父とかいう人も、少しも申し訳なさそうじゃなくて」

日高理恵は唇を噛み、勝ち気そうな一面を覗かせた。悲しみよりも怒りのほうが勝っているようなので私は安心した。こんな場所で泣かれたら厄介《やっかい》だった。

「加賀さんには前にもお話ししたと思いますけど、私はやっぱり、主人が他人の作品を盗んでいたなんて信じられません。だって、新しい作品のことを話す時には、子供みたいに目を輝かせていた人なんですよ。自分の思うままに物語を作れるのが、本当に楽しいという感じだったんですから」

日高理恵の力説に対して私は頷いた。彼女の気持ちはとてもよく理解できたからだ。しかしここで同意の台詞を口にするわけにはいかなかった。そんな私の内心を読みとったのか、彼女もこれ以上は自説を主張しようとはせず、私のほうの用件を尋ねてきた。

私は上着の内ポケットに入れてあった書類を取り出し、テーブルの上に置いた。

「まずこれに目を通していただきたいのですが」

「何ですか、これ」

「野々口修の手記です」

私の言葉に日高理恵は露骨に不快感を見せた。

「読みたくありません。主人があの人に対していかにひどいことをしたか、長々と書いてあるだけなんでしょう。そのおおよその内容については、新聞で知っています」

「それは野々口が逮捕されてから書いた告白文のことをおっしゃっているのですね。ここにある手記はそれとは別のものです。野々口が今回の犯行直後に、警察の目をくらますため、わざと事実と違う記録をつけていたことは御存じですよね。これはそれをコピーしてきたものです」

この説明で彼女は理解したようだが、不機嫌そうな表情に変化はなかった。

「そうなんですか。でも、事実と違うことを書いたものを読んだって、何のたしにもならないんじゃありません？」

「まあそうおっしゃらず、とりあえず読んでいただけませんか。大した分量ではないので、すぐに読めると思いますが」

「今ここで、ですか？」

「お願いします」

おかしなことをいうと彼女は思ったに違いない。しかし彼女はそれ以上は何も訊かず、書類に手を伸ばした。

十五分ほどで彼女は書類から目を上げた。

「読みましたけど、これが何か？」

「その手記のうち、虚偽の記述であることを野々口自身が認めているのは、まず日高邦彦氏との会話の部分です。本当はそんな和《なご》やかなものではなく、かなり険悪なやりとりがあったと彼は供述しています」

「そうらしいですね」

「また、これは以前奥さんに伺ったことですが、野々口がお宅を出る時の模様が事実に反していますよね。実際にはあなたは彼を玄関までしか見送らなかったのに、ここには門の外まで出たように書いてあります」

「そうですね」

「ほかにはどうですか。奥さんが記憶しておられることと、この手記の内容とで、明らかに食い違っている点はありませんか」

「ほかに、ですか」

日高理恵は戸惑いの表情を浮かべ、手記のコピーに目を落とした。それから自信のない様子で首を振った。

「特にはありませんけど」

「ではあの日野々口が話したことだとか、行動したことで、ここには書いてないことを何か覚えておられませんか。どんな些細なことでも結構なんです。たとえば途中で奴がトイレに入ったというようなことでもいいんです」

「よく覚えてませんけど、あの日野々口さんはトイレには行かなかったと思います」

「では電話はどうですか。どこかへ電話をかけていたような様子はありませんでしたか」

「さあ……主人の部屋からかけたのなら、私にはわかりませんから」

日高理恵は、実際あの日のことをあまりよく覚えてはいないようだった。あの日が彼女にとって特別な日になるということは、野々口がやってきた時点ではわからなかったのだから当然かもしれない。

あきらめかけていると、彼女が不意に顔を上げた。

「あっ、そういえば一つだけ」

「何でしょう？」

「全然関係ないかもしれませんけれど」

「構いません」

「あの日野々口さんは帰り際に、おみやげだといってシャンペンをくれたんです。そのことが、この手記には書かれてませんね」

「シャンペンを？　あの日に間違いないですか」

「間違いありません」

「帰り際というと、具体的にはどういうふうにして渡したのですか」

「藤尾美弥子さんがいらっしゃって、入れ替わりに野々口さんが主人の仕事部屋から出てきた時です。日高との話に夢中になって渡すのをすっかり忘れていたけれど、じつはシャンペンを買ってきたんだといって、紙袋に入った瓶《びん》を差し出されました。今夜ホテルででも飲んでくださいといわれたので、遠慮なくいただきました」

「そのシャンペンはどうしましたか」

「それが、あの夜私が泊まってたホテルの冷蔵庫に置いてきてしまったんです。事件の後でホテルから電話がかかってきましたけど、適当に処分してくださいといった覚えがあります」

「飲んではおられないわけですね」

「はい。主人が仕事を終えてホテルに来たら、二人でゆっくり飲もうと思って冷やしておいたんです」

「これまでにもそういうことはあったんですか。シャンペンにかぎらず、野々口が手土産に酒を持ってきたということは」

「ずっと以前はあったかもしれませんけれど、私の知るかぎりでは、あの時が初めてです。だいたい野々口さん自身がお酒を飲まない人ですから」

「なるほど」

野々口自身は告白文の中で、最初に日高家を訪れた時にスコッチを持っていったと書いているが、その時のことは当然日高理恵は知らないわけだ。

私はほかに、手記に書かれていないことで印象に残っていることはないかと尋ねた。日高理恵はかなり真剣に考えていたようだが、ほかには思い出せないといった。そして、なぜ今頃こんなことを訊くのかと逆に質問してきた。

「一つの事件を終結させるには、いろいろと煩雑《はんざつ》な手続きが必要なんです。確認作業というのも、その一つでしてね」

私の説明に、被害者の妻は疑いを抱いた様子ではなかった。

日高理恵と別れた直後、私は事件当夜日高夫妻が泊まることになっていたホテルに電話し、シャンペンのことを問い合わせた。少し手間取ったが、その時のことを覚えているという係の者と話をすることができた。

「ドン・ペリニヨンのロゼだったと思います。それが冷蔵庫に入ったままになっていたのです。高価なお酒ですし、未開栓でしたので、念のためにご連絡したわけです。するとそちらのほうで処分してくださいとのことでしたので、そのようにさせていただきました」

男性のホテルマンは丁寧な口調でいった。

私はそのシャンペンはどうなったかを訊いた。ホテルマンは少し口ごもっていたが、やがて自分が家に持ち帰ったのだと告白した。

私は続けて、飲んだかどうかを訊いた。二週間ほど前に飲んでしまったと彼は答えた。ボトルもすでに捨てたという。

「何か問題があったんでしょうか」

ホテルマンは心配そうにいった。

「いえ、特に問題というわけではありません。ところでそのシャンペンはおいしかったですか」

「ええ、それはもう」

ホテルマンのうれしそうな声を聞いてから、私は電話を切った。

帰宅後、ビデオを見る。例の野々口修が日高邸に忍びこんだ時のテープである。鑑識に頼んで、特別にダビングしてもらったものだ。

繰り返し見るが、収穫なし。退屈な画面が瞼に焼き付けられただけだ。


五月十六日、午後一時を少し過ぎた頃、横田不動産株式会社の池袋営業所を訪ねた。正面がガラス張りの、カウンターの奥にスチール机が二つあるだけの小さな事務所である。

私が入っていった時、藤尾美弥子は一人で何か事務仕事をしていた。他の社員は出かけているらしい。だから彼女を外に連れ出すわけにはいかず、カウンターテーブルを挟んで話をすることになった。外からだと、胡散臭《うさんくさ》い男が安アパートを探しているように見えたかもしれない。

私は世間話は早めに切り上げて、すぐに核心に触れることにした。

「野々口の告白文の内容は御存じですか」

緊張した顔で藤尾美弥子は頷いた。

「大体の内容は新聞で読みました」

「どのように思いましたか」

「どのようにって……とにかくびっくりしました。あの『禁猟地』も、あの人が書いたというんですから」

「野々口の告白によれば、日高邦彦氏はあの作品の本当の作者ではなかったために、あなたとの交渉においても、はっきりとした態度をとれなかったということですが、その点についてはいかがですか。思い当たることはありますか」

「正直にいいますと、私にはよくわかりません。日高さんとの話し合いでは、いつものらりくらりとはぐらかされてきた、という思いがあるのはたしかですけど」

「日高氏と話をしていて、『禁猟地』の作者にしてはおかしいと思うような発言があったりはしなかったわけですね」

「そういうことはなかったように思います。でも、自信はありません。だって、日高さんが本当の作者じゃないなんてこと、想像もしませんでしたから」

この言い分は、もっともなものといえるだろう。

「『禁猟地』の真の作者が野々口修だと考えた場合、合点のいくこと、あるいは逆に納得いかないことなどはあるでしょうか」

「それもやっぱり、自信を持ってお答えできることはありません。野々口という人も、日高さんと同様に兄の同級生だったということですから、あの小説を書くことは可能だったわけです。実際に書いたのは野々口修という人間だといわれれば、ああそうなのかと思うしかないんです。もともと日高さんについても、詳しいことを知っているわけじゃありませんから」

「そうかもしれませんね」

どうやら藤尾美弥子からはこれ以上の情報は得られそうにないらしいと思いかけた頃、

「ただ」といって彼女は話を続けた。

「もしあの小説を書いたのが日高さんでないということなら、もう一度小説を読み直してみる必要はあるかもしれません。といいますのは、小説に登場してくるある人物のことを、私は、日高さん御自身をモデルにしたものだと思いこんでいたからです。作者が日高さんでないなら、その人物のモデルもあの方ではなかったということになります」

「どういうことですか。詳しく話していただけませんか」

「刑事さんは『禁猟地』をお読みになりましたか?」

「本は読んでいませんが、筋は大体わかります。別の刑事が読んで粗筋《あらすじ》を書いたものに目を通しましたから」

「あの小説の中に主人公の中学時代が出てきます。主人公は暴力で仲間を服従させ、気に入らない者は徹底的に痛めつけます。今でいういじめです。そして彼の最大の犠牲者は、クラスメートの浜岡《はまおか》という男の子でした。私は、その浜岡という生徒こそ、日高さんのことだと思っていたのです」

小説にいじめの場面が出てくることは、粗筋を読んで知っていた。しかし細かい固有名詞までは、そこには書かれていなかった。

「なぜその生徒が日高氏だと思ったのですか」

「あの小説全体が、その浜岡という人物の回想という形で書かれているからです。しかも内容的には小説というよりもドキュメントといったほうがふさわしいくらいですから、この少年が日高さんなのだなと信じていました」

「なるほど。そういうことならわかります」

「それに……」藤尾美弥子は一瞬ためらいの表情を見せてから続けた。「日高さん自身がその浜岡少年のような目に遭ったからこそ、あんな小説を書くことを思いついたのだろうと考えていました」

私は思わず彼女の顔を見返した。

「どういう意味ですか」

「小説の中で、いじめの中心人物である主人公のことを浜岡少年はひどく憎みます。その憎しみが、全編に漂っているように感じられるのです。作中では語られていませんが、浜岡という人物がかつて自分を苦しめた男の死について調べ始めるのも、その底に憎悪があったからだということは明らかです。浜岡少年イコール作者。つまり日高さんはあの小説を書くことによって、兄に復讐したのだと私は解釈していました」

私は藤尾美弥子の顔を凝視してしまった。復讐のために小説を書いたという発想はこれまで私の頭にはなかったものだからである。いやもともと我々捜査陣は、『禁猟地』という作品に注目すらしていなかったのだが。

「しかし野々口の告白によって、そうとはいえなくなったわけですね」

「そうなんです。でも今もいいましたように、とにかく作者がモデルなのだと考えれば、それが日高さんであろうと野々口という人であろうと、同じことなんですけどね。ただ私はずっと作品中の人物と日高さんとを重ね合わせていたものですから、急にじつは別人なんだといわれると、どうしても違和感があります。ほら、よく小説がテレビドラマになった時なんか、登場人物のイメージが役者のキャラクターと合わなくて不満に思うことがあるでしょう。ああいう感じです」

「日高邦彦氏なら、『禁猟地』に登場する浜岡という人物とキャラクターが一致するわけですか。あなたの主観で答えてくださって結構ですが」

「一致するように思うんですけど、先入観のせいかもしれません。だって私、さっきもいいましたように、本当は日高さんのことなんか殆ど知らないんですから」

藤尾美弥子は慎重に、断定的な言い方を避けた。

最後に私は、彼女たちが『禁猟地』の件で争う相手は日高邦彦から野々口修に変わったわけだが、今後はどうするつもりかと尋ねた。

「とりあえず、その野々口という人の裁判の結果を待ちます。すべてはその後です」

彼女は冷静な口調で答えた。


日高邦彦が殺された事件について、私が今も未練たらしく調べ回っていることを、上司はあまり快くは思っていない。犯人がすでに自白し、手書きの告白文まで残しているというのだから、今更何を嗅ぎ回る必要があるのかと思うのは当然である。

「何がしっくりこないんだ。何もかも、すっきりと筋が通っているじゃないか」

上司は苛立った調子でこのようにいう。私も、これまでの捜査で明らかになったことを否定できるほどの根拠は持っていない。第一、今回重要視されている証拠の多くは、私がこの手で獲得してきたものばかりなのだ。

私にしても、もうこれ以上調べることはないと思っていた。野々口が工作した偽アリバイを崩し、日高との確執を明らかにすることにも成功した。正直なところ、自分の仕事ぶりにうぬぼれさえ感じ始めていたのだ。

私の心に疑念が生じたのは、病室で野々口の調書をとっている時であった。何気なく彼の指先に目を向けた時、ある考えが突然芽生《めば》えたのだ。だが私はそれを無視することにした。

その想像はあまりに奇怪で、非現実的なものだったからだ。

しかし無視し続けていられたのも長い時間ではなかった。その奇妙な想像が脳裏から離れなかった。じつをいうと私は、最初に彼を逮捕した時から、間違った道に入りこんでしまったような不安を抱いていた。それが今はさらに明確になっている。

こんなふうに思うのは、私が警察官としても人間としても未熟なことによる錯覚かもしれない。それは充分にありうることではある。しかし私は自分の感覚を納得させられないいま、今回の事件に終止符を打ちたくはないのだ。

私はもう一度念入りに、野々口修が書いた告白文に目を通してみることにした。するとこれまでは見えてこなかった疑問が、いくつか生じてきたのだった。

釈然としない点を具体的に挙げると、次のようになる。

一、日高邦彦は殺人未遂事件の証拠を種に、野々口修にゴーストライターをさせていたというが、仮に野々口がすべてを捨てる覚悟で警察に行けば、日高もダメージを受けるおそれがあった。下手をすれば作家生命を断たれることになったかもしれない。そのことを日高は恐れなかったのか。結果的には野々口は日高初美を巻き添えにしたくないという理由で自首しなかったわけだが、日高邦彦には事前にそのことを確信する根拠はなかったはずである。

二、日高初美が死んだ後も、野々口が無抵抗だったのはなぜか。手記の中で彼は心理合戦に疲れはてたと書いているが、だからこそすべてを捨てる覚悟で自首するのがふつうの心理ではないのか。

三、そもそも例のビデオテープとナイフが、殺人未遂の証拠となりうるか。テープに写っているのは、野々口が日高家に侵入するシーンだけであり、ナイフには血痕もついていない。しかも犯人と被害者以外で現場に立ち会ったのは、共犯の日高初美だけである。初美の証言によっては、野々口が無罪になる可能性も低くないのではないか。

四、野々口は日高邦彦との関係が、「なかなか息の合った合作者のもの」になっていったと書いているが、それまでのいきさつを考えた場合、そんなことがありうるだろうか。

以上の四点について野々口に質《ただ》してみた。すると彼はすべての問いに対して同じ答えを述べたのだった。それは次のようなものである。

「おかしいと思われるかもしれませんが、実際そのとおりなのだから仕方がありません。今になって、なぜそんなことをしたのかとか、あの時にこうしなかったのかとか訊かれても、自分でもわからないとしかいいようがないのです。とにかくあの頃の私の精神状態はふつうではありませんでしたから」

野々口にこういわれてしまっては、こちらとしてはどうしようもない。物理的なことなら反証も可能だが、これら四つの疑問はいずれも心理面でのものなのだ。

だが私が違和感を抱く最大のポイントは、じつはこの四点以外にある。それは一言でいうならばキャラクターということになる。私は野々口修という人物のことを、上司や他の捜査員よりもはるかによく知っている。その知識に基づいて作られる彼という人間の個性と、例の告白文で語られている内容とが、どうしてもうまく一致しないのだ。

私はますます、突然芽生えた奇怪な仮説にこだわらざるをえなくなる。その仮説が正しいとすれば、これらすべての疑問が氷解するからである。

日高理恵に会いに行ったのには、もちろん私なりのはっきりとした目的があった。仮に私の推理が（というより現時点では殆ど空想というべきものだが）正しければ、野々口修が今回の事件の模様を記した手記には、もう一つ別の意味があるはずなのだ。

しかし彼女から決定的な話を聞き出すことはできなかった。唯一の収穫が例のシャンペンの一件だが、あれが果たして私の推理を裏づけてくれるのかどうか、今のところは不明である。シャンペンを持っていったことを、野々口が手記に記さなかったのは、単なる書き落しだろうか。それとも何か理由があってのことなのだろうか。ふだん酒を手土産に持っていくことのない野々口が、あの日にかぎってそういうことをしたというのは、何か意味のあることのように思える。もし意味があるのだとしたら、それはどういうものか。

残念ながら今の時点で思いつくことは何ひとつない。しかしこのシャンペンの一件は、頭の隅に留めておく必要がありそうだ。

私は野々口修と日高邦彦の関係について、もう一度見直したほうがいいのではないかと考えている。もし我々が誤った道に入りこんでしまったのだとしたら、まず元の地点まで戻ることから始めなければならない。

その意味で藤尾美弥子と会ったのは正解だった。彼等二人の間柄を鮮明にするには、中学時代まで遡《さかのぼ》る必要がある。モデル小説といわれる『禁猟地』は、そのための絶好のテキストといえる。

彼女に会った後すぐに、私は本屋へ行って『禁猟地』を買った。そして帰りの電車の中から読み始めた。内容はすでに粗筋で知っているとおりなので、いつもより楽に読み進められた。ただし文学的な価値などは、例によって全くわからない。

藤尾美弥子がいったように、この小説は浜岡という人物の視点で描かれている。平凡な会社員である浜岡が、ある朝一人の版画家の刺殺事件を新聞で知ることから物語は始まっている。浜岡は、その仁科和哉《にしなかずや》という版画家が、中学時代に自分を苦しめた張本人であることを思い出すのだ。ここからが、中学の時に受けたいじめに関する回想になる。

中学三年になったばかりの浜岡少年は、生命にかかわるほどの暴力を何度か受ける。衣服を脱がされ全身に透明ラップを巻かれた状態で体育館の隅に放置されたり、窓の下を歩いている時に突然上から塩酸をかけられたりするわけだ。もちろん、ただ単純に殴る蹴るの攻撃を受けることもある。言葉による暴力、嫌がらせの類も容赦なく連日続けられる。その描写は細かく、リアリティがあって迫力満点だ。藤尾美弥子が、小説ではなくドキュメントだといったのもわかる気がする。

浜岡少年がいじめの標的になった理由は明確になっていない。浜岡少年によれば、「ある日突然悪霊の封印をはがしてしまったかのように」いじめは始まったのだ。これは昨今のいじめ事件にも共通していえることである。彼は負けまいとするが、やはり次第に恐怖と絶望が胸の中を支配するようになる。

『彼が恐ろしいと思ったのは、暴力そのものではなく、自分を嫌う者たちが発する負のエネルギーだった。彼は今まで、世の中にこれほどの悪意が存在するとは、想像もしていなかったのだ』

これは『禁猟地』の中の一節である。被害者の、正直な気持ちが表現されているといえるだろう。私も教師時代にいじめを扱った経験があるが、いじめられる側としては、あまりの理不尽さに、ただ途方にくれるしかないのだ。

このいじめは、首謀者である仁科和哉の突然の転校によって終結する。だが転校先を知る者はいない。他校の女子生徒に乱暴を働いたことがもとで施設に送られたのだという噂が流れるが、真偽については浜岡少年たちにはわからなかった。

浜岡の回想はここで一旦終わる。ところがちょっとした紆余曲折《うよきょくせつ》があって彼は仁科和哉のことを調べようと思い立つのだ。この紆余曲折が、文学としては意味がある部分なのかもしれないが、今回の事件とは無関係と考えられる。

以後この小説は、浜岡の回想と聞き取り調査が交錯する形で進んでいく。まず明らかにされるのは、仁科和哉がいなくなった真の理由である。彼に乱暴された生徒というのは、ミッション系の学校に通う女子中学生だった。彼は不良仲間にその女子を取り押さえさせ、皆の見ている前で暴行した上、その模様をやはり仲間に八ミリカメラで撮影させたのだ。未現像のそのフィルムを、仁科和哉は知り合いの暴力団に売るつもりだった。新聞沙汰《ざた》にならなかったのは、女の子の親が各方面にコネクションを持っていたからにほかならない。

このような調子で小説の前半部は、主に仁科和哉の残忍さを表現することに費やされている。後半になると、ある事件をきっかけに版画に興味を持ち、その道で生きようとする彼の姿が描かれる。そして物語の結末は、初めての個展を開こうとする直前、行きずりの売春婦にナイフで刺し殺されるシーンだ。この殺人事件が実話に基づいていることは周知である。

ここに登場する浜岡という人物を、藤尾美弥子が作者自身のことと考えたのは無理のない話だろう。無論通常の小説ならば、語り手イコール作者という短絡《たんらく》は無茶かもしれない。しかし大部分が事実に基づいて書かれたと推定されるこの作品の場合は、そう考えたほうが妥当だろう。

そしてその作者が遠い過去の復讐を果たすためにこの小説を書いたという彼女の推理も、あながち見当はずれではないと思われる。彼女がいったように、仁科和哉という人物の描き方が、好意的とは到底いいがたいものだからである。芸術家としてではなく、芸術家に憧れただけの俗人として描かれているのはいいとしても、俗人の醜さと弱さを強調する描写に終始しているのは、浜岡つまり作者の復讐心からと解釈できないこともない。藤尾美弥子が名誉を傷つけられていると主張しているのも、おそらくこのあたりのことだろう。

しかし浜岡少年を作者つまり野々口修の分身とすると、どうしても納得できないことが一つだけある。

それは、日高邦彦に相当する人物が登場していないということだ。

無論それは作者を日高邦彦のほうだと考えても同様である。その場合、野々口に当たる人物が見当たらないということになる。

モデル小説とはいえ、実際と違う部分は当然あるわけだし、人物を省略することもあるだろう。だが問題はそういうことではない。

もしこの小説にあるように、中学時代、野々口修がいじめに遭っていたのだとしたら、その時日高邦彦は何をしていたのかということが問題なのである。彼は黙って指をくわえていただけなのか。

このことにこだわるには理由がある。それは、野々口が再三にわたって日高邦彦のことを親友であったかのように表現しているからである。

いじめに対して、親の愛情や教師の指導力などというものは、残念ながらあまり有効ではない。友情こそが、いじめに対する最大の武器である。にもかかわらず、「親友」は、浜岡少年がいじめられているのを傍観していたとしか思えない。

私は断言する。そんな人間は親友ではない。

同様の矛盾が、野々口修の告白文の中にもある。

親友は相手の妻を奪ったりしない、妻と共謀して彼を殺そうと考えたりもしない、そして親友は相手を脅迫し、ゴーストライターとなることを強要したりしない。

　ではなぜ野々口は、日高邦彦のことを「親友」の如く表現したのだろう？

それもすべて今私の頭の中にある奇怪な想像によって説明することができる。

あの、ペン胼胝《だこ》のできた野々口修の中指を見た時に閃いた推理によって——。

過去の章　その二　彼等を知る者たちの話

［林田順一《はやしだじゅんいち》の場合］

あの事件のことでいらしたんですか。そうですか。でも私なんかに何を訊きたいんですか。何を質問されても、大した話はできないと思いますよ。何しろ古い話ですものねえ。中学時代といえば二十数年前じゃないですか。物覚えはさほど悪いほうじゃありませんけどねえ、もうあまり記憶に残ってないなあ。

白状しますとね、つい最近まで日高邦彦なんていう作家がいることさえ知らなかったんですよ。お恥ずかしい話ですが、ここ何年も読書なんてものはしてませんのでね。本当はそれじゃいけないんですがね。床屋なんていう稼業は、客と話をするのも仕事のうちだから、どんな話題にでもついていけなきゃいけませんから。だけどどうもね、忙しくて。でまあ、日高邦彦なんていう作家がいて、しかも同級生だったってことを知ったのは、今度の事件がきっかけです。ええ、日高や野々口の経歴が新聞なんかで取り上げられましたからね、それで思い出したというわけです。新聞ぐらいは一応読んでます。びっくりしましたよ、そりゃあ。しかも殺人事件絡みなんだから。はい、野々口のことは覚えていたんです。日高のほうは、何となく記憶がある程度ですね。はっきりいって印象の薄いやつだったんでしょう。二人が親友だったかどうかなんて知らないなぁ。

　野々口のことは、ノロって呼んでました。ほら、口という漢字はカタカナのロに似てるでしょう？　それでノロです。ちょっと鈍《にぶ》いやつだったから、のろまという意味もあったかもしれないな。

　そういえばあの男、本ばっかり読んでましたね。隣の席になったことがあるんで、覚えているんですよ。何読んでたかは知りません。興味ありませんからね。マンガじゃなかったことだけはたしかです。作文だとか感想文がうまくてね、担任の先生には気に入られてたんじゃないかな。いやなに、担任が国語教師だったんですよ。学校なんて、そんなものでしょう。

　いじめですか。ありましたね。最近になってマスコミが騒いでるけど、あんなもの昔からありましたよ。昔のいじめは陰湿じゃなかったなんていってる人もいますが、いじめなんて陰湿なものに決まってるじゃないですか。ねえ。

　ああ、そういえば野々口はいつもいじめられてました。たった今思い出しましたよ。そうだった、そうだった。あいつもやられてたんだよなあ。弁当にいたずらされたり、金をとられたりしてました。掃除道具入れに閉じこめられる、なんてこともあったんじゃなかったかなあ。なんていうか、いじめに遭いやすいタイプでしたから。

　身体にラップを巻かれた？　ラップって、あの台所で使うラップですか。ああ、そういえばそんな話も聞いたことがあります。とにかく無茶苦茶なことばかりしていました。窓から塩酸？　ふうん、その程度のことはあったかもしれません。とにかくあまり出来のいい中学じゃなかったから、いじめや校内暴力なんか日常茶飯事って感じだったんです。

ええと、それ訊かれるとつらいんですけど、正直にいいますと、私もいじめに加わったことがあります。いや、ほんのちょっとだけですよ。クラスの悪たれ連中が、私たちふつうの生徒にも参加させようとするんです。逆らうと今度はこっちに火の粉が飛んできますからね、仕方なく加わるわけです。そりゃあいやな気分でしたよ。やりたくもない弱い者いじめをするわけですから。一度鞄に犬の糞を隠したことがあるんですけどね、そばにいた女子のクラス委員も見て見ぬふりをしていましたよ。なんていったかな、あのクラス委員。そうだ、増岡《ますおか》だ。たしかそういう名前だった。あの不良連中はいじめそのものも楽しかったんだろうけれど、そんなふうにふつうの生徒に手を汚させるっていうか、真面目な者を自分たちのレベルまで引きずり下ろすってのが面白かったんじゃなかったのかな。これは今になって思うことですけれどね。

藤尾ですか。忘れちゃいませんよ、もちろん。大きな声じゃいえませんが、あいつさえいなけりゃと何度思ったかわかりません。いやあ私だけじゃないでしょう。みんなそう思っていたはずですよ。先生だって、そう思ってたに違いないんだ。

非道っていうかね、とにかく人を苦しめることなんか何とも思わない奴でした。身体はそこらへんの大人よりでかいし、力も強かったから、誰も注意なんてできません。ほかの不良たちが、藤尾にくっついていれば安心だってことで、あいつに媚《こ》びるもんだから、藤尾のやつは余計に調子づいちゃってね。手に負えないっていうのは、ああいうことをいうんだろうなあ。ええ、そうです。いじめの元締めもあの男です。あいつが仕切ってたんだ。不良どもがおとなしい生徒から巻き上げた金は、いったん全部あいつのところに集められたといいますからね。やくざと変わりゃしませんよ。

藤尾が学校を出ていった時には喜びましたよ。これで平和が戻ると思いましたから。実際、それ以後はずいぶんと校内の雰囲気がよくなりました。そりゃあまだ不良グループの残党はいましたけど、藤尾のいた頃とは比較になりません。

学校を止めた理由はよく知らないんです。噂じゃ、よその学校の生徒に怪我させて施設に送られたってことでしたけど、たぶん本当はそんな生やさしい事件じゃなかったんだろうと思っています。

藤尾のことばかりお訊きになるけど、例の事件と何か関係があるんですか。あれは結局日高のほうが、野々口の小説を盗作してたから殺されたっていうことなんでしょう?

えっ、いじめグループですか。いやあ、今はどうしてるか知らないなあ。案外ふつうの社会人になっているんじゃないかと思いますけどね。

その頃の名簿ですか。ありますけど、古い住所が載ってるだけですよ。それでもいいんですか。じゃ、ちょっと待っててください。今とってきますから。

[新田《にった》治美《はるみ》の場合]

あたしのこと、誰から聞いたんですか。林田さん？　そんな人、クラスにいたかしら。でもいたんでしょうね。ごめんなさい、あの頃のことなんて思い出すことがなくって。

旧姓は増岡です。ええ、そうです。一応クラス委員ってことになっていました。男女各一人ずつ選ばれるんです。別に何をするってわけでもないんです。先生との連絡係かな。あとそれから話し合いの議長をしたり。ああ、そう、ホームルーム。その言葉を口にするのは何年ぶりかしら。うちには子供がいないものですから。

日高君と野々口君のことは、申し訳ないんですけど殆ど覚えてないんです。男女共学でしたけど、あたしはいつも女の友達といましたから。だから男子のほうでどういうことがあったのかも、よく知らないんです。いじめもあったかもしれませんけど、あたしは気づきませんでした。もし気づいてたら？　さあ、それは今となっては何ともいえませんけど、たぶん先生に報告しただろうと思います。

あの、そろそろ主人が帰ってくる頃ですから、このへんにしていただけません？　お役に立てるようなことは、何も知りませんから。それから、あたしがあの中学の出身だということは、ほかの人には話さないでいただきたいんですけど。ええ、いろいろと差し支えがあるものですから。主人にだって、話していないんです。お願いしますわね。

［円谷雅俊《つぶらやまさとし》の場合］

日高と野々口のことで？　そりゃあわざわざ遠いところを。どうぞ上がってください。いいんですか。いやしかし玄関先というのも……そうですか。

二人のことは覚えてますよ、もちろん。退職してから約十年になりますが、担任だったクラスの生徒のことは、全員覚えてます。何しろ一年間面倒をみたわけですからな。それにあの二人は、私があの中学に赴任した直後の生徒だったから、特によく覚えているんですよ。

そうそう、野々口は国語の成績が抜群によかった。毎回百点、とまではいかないが、それに近い成績をおさめておったです。日高のほうは、さほどでもなかったんじゃないですかね。特に印象に残ってはおりませんから。

野々口がいじめに遭っていたかって？　いやあ、そんなはずはないですよ。たしかに悪い生徒はいましたけどね、彼が被害に遭っていたという話は聞いたことがないです。

そうですか、林田がそんなことをいってましたか。それは意外ですなあ、ちっとも知らなかった。いや、とぼけておるわけではないですよ。今さらとぼけたって仕方がない。

意外だというのはね、むしろ野々口は悪いグループと付き合っているようなので、心配していた時期があったからなんですよ。親御さんからそういう相談を受けましてね。それで、それとなく本人に注意したこともありました。

でもそういう時に力になるのは、やっぱり友達なんですな。野々口が道を踏み外すのを食い止めたのは、親でも教師でもなく、友達でした。もちろん日高のことですよ。日高は目立たないが、なかなか気の強いところがある男でしたな。曲がったことが嫌いでね、少しでも筋が通らないと思うと、教師にも食ってかかるようなところがありました。

あれはたしか正月のことだったと思いますが、二人でうちに遊びにきたんです。日高のほうが、野々口を連れてきたという感じでしたね。彼等は何もいわなかったが、いろいろと心配かけて申し訳なかったという意思表示だと私は解釈しました。

あの時に私は、この二人は一生の親友になるだろうと確信したのですが、別々の高校に進んだのは予想外でしたな。全体としての成績は似たようなもので、同じ高校に入ってもおかしくはなかったんです。

で、結局今度の事件みたいなことになったわけでしょう？　驚きましたなあ。一体どこで歯車が狂ってしまったんでしょうなあ。日高も野々口も、あんなことをする人間ではなかったのですよ。

[広沢智代《ひろさわともよ》の場合]

野々口さんのところの息子さんですか、そりゃあよく知ってますよ。ご近所でしたからね。ごくたまにパンを買いにきたこともあります。ええ、うちはあの近くに店を出していたんです。店を畳んだのは十年ほど前です。

ええと、やっぱりあの事件のことで？　ああ、そうなんですか。ねえ、びっくりしましたものねえ。あの子たちがあんなことに……。わからないものですよねえ。

どんな子供だったかって？　そうですねえ、なんていうか、陰気なところがありましたね。子供らしくないっていうか、鬱陶しいというか。

あれはたぶんあの子が小学生の低学年の頃だったと思うんですけどね、学校が休みでもないのに、修ちゃんはずっと家にいるという時期があったんですよ。二階の窓から、ぼんやり外を眺めたりしてね。それで下から声をかけてみるわけです。

「こんにちは、修ちゃん。風邪でもひいたの？」

ところがあの子は何も答えないんです。あわてて顔を引っ込めて、カーテンを閉じるんです。感じ悪いったらありませんでしたね。たまに道で会った時でも、必ず脇道に入って、絶対に顔を合わせないようにするんです。

後でわかったことですけど、その頃あの子は登校拒否ってのをしていたらしいんです。理由は詳しくは知りませんけど、あれは親が悪いんだってみんな噂してましたよ。あそこの親はふつうの勤め人だったはずなんですけど、夫婦揃って贅沢《ぜいたく》好きでね、おまけに子供に対してはやたら過保護だったんです。そういえばあそこのおかあさんが、こんなふうにいってたことがありましたよ。

「うちの子は、本当はもっときちんとした私立の小学校へ行かせるつもりだったんです。でもコネがないものだから、うまくいかなくて仕方なく、今の学校に入れたんです。ああいう風紀に問題のあるところは嫌なんですけど」

風紀に問題があって悪かったわね、といいかえしたいところでしたよ。うちは娘も息子も、あの学校を出ているんだから。たしか野々口さんのところは、旦那さんの仕事の事情で、どこかから引っ越してきたんだったと思いますよ。前に住んでいたところは、よっぽど上品な町だったんでしょうねえ。

まあ親がそんなふうだから、子供のほうも、なんとなくそんな学校には行きたくないというふうだったんじゃないですか。子供というのは、そういうものですからね。

でも全く学校に行かないっていうのは、やっぱりまずいわけですから、親も心配していたみたいですよ。ただ、無理矢理引っ張っていくということはしていなかったですね。

あの子が学校へ行くようになったのは、邦彦ちゃんのおかげだと思いますよ。はい、日高さんのところの。そうです、今度殺された日高邦彦さんです。小さい頃からよく知っているんで、邦彦さんなんていうと何だか妙な感じだけれども。

あの邦彦ちゃんが、毎朝修ちゃんを迎えに行くようになったんですよ。どういういきさつかは知りません。学年が同じだったから、学校の先生が邦彦ちゃんに修ちゃんを連れてくるよう頼んだのかもしれませんね。

毎朝見かけましたよ。まず邦彦ちゃんがうちの前を右から左に歩いていくんです。その時に必ず挨拶してくれましてね。大きな声で。あの子は本当にいい子でしたよ。で、しばらくすると反対の方向から歩いてくるんです。その時は修ちゃんと一緒でした。面白いことに、邦彦ちゃんはそこでまた挨拶してくるんです。修ちゃんは黙ってうつむいたままですす。いつもそうでした。

そのうちに修ちゃんも、きちんと学校に行くようになったみたいですね。おかげで中学にも高校にも行って、大学にだって上がれたわけだから、邦彦ちゃんは恩人みたいなものなんですよ。それなのに今度みたいなことがあって……ほんとにわかりませんわね。

二人が遊んでいるところですか？　ええ、よく見ましたよ。もう一人、布団《ふとん》屋の子が一緒でした。遊びでもやっぱり、邦彦ちゃんのほうが誘ってたみたいですね。仲は良かったですよ。当たり前じゃないですか。

邦彦ちゃんが親切だったのは、修ちゃんに対してだけじゃないですよ。誰にでも、特に自分より小さい子には優しかったんだから。だからねえ、今度のことは、しつこいようですけど、とても信じられませんよ。

［松島行男《まつしまゆきお》の場合］

日高と野々口……か。

いや失礼。僕もあの事件を知って腰を抜かしたくちでね。彼等二人の名前を聞くと、ついぼんやり昔のことを思い出してしまうんです。でもよく僕のことがわかりましたね。ええ、たしかに小学生の頃は彼等二人とよく遊んでましたよ。うちの実家は寝具を扱っている店だったんですが、裏の倉庫で新品の座布団に乗ったりしてよく叱られました。

ただ正直にいうと、さほど二人のことが好きだったわけではないんです。近所には、ほかに遊べるような子供がいなかったから、惰性で付き合っていたというのが正直なところです。だから小学校でも高学年になって、一人で遠くまで行けるようになると、別の友達と遊ぶようになりました。

あの二人の関係ですか。さあどうかな、親友というのとは違うと思いますね、僕は。幼なじみというのとも違う。なんといえばいいのかな。

ああ、そうですか。パン屋のおばさんからはそう見えたんですか。大人の目ってのはあてにならないものですね。

あの二人の関係はね、決して対等なものではなかったんですよ。そう、いつも日高のほうが優位に立ってました。ええ、そうだと思います。学校に馴染めなかった野々口を助けてやったという意識があったんだと思います。口に出していったりはしなかったですけど、態度に現れていました。いつも彼が野々口をリードしていたんですよ。三人でよくカエルを捕りに行ったんですけど、その時でも日高は野々口のすることにいちいち指図していました。その場所は危ないから、もっと足場のいいところで捕まえろだとか、靴は脱いでおけとかね。命令しているというより、世話を焼いているといったほうが適切かもしれません。だから親分子分の関係というより、兄弟という感じでしたね。年は同じなんですけど。

そんな日高のことを、野々口も鬱陶しく思っていたようでしたよ。時々僕に彼の悪口をいいましたからね。面と向かっては何もいえなかったようですが。

小学校高学年になってから僕は二人と遊ばなくなったといいましたが、あの二人も、その頃からは付き合いがなくなったと思いますよ。理由の一つは野々口が塾に通いだしたことです。つまり遊んでる時間がなくなったんですね。で、もう一つ理由があって、野々口のおかあさんが日高のことを嫌ってたんじゃないかと思うんです。というのは、ある時たまたま耳にしたことですけど、野々口のおかあさんが野々口にいってたことがあるんですよ。

「もうあの家の子とは遊んでないでしょうね」

厳しい口調でね、顔つきもなんだか怖かったですよ。あの家というのが、日高の家のことをいっているということは、話の流れからわかりました。おかしなことをいうなあと、子供心に思いましたよ。なぜ日高と遊んじゃいけないんだろうとね。野々口のおかあさんがそんなことをいった理由は、今も不明です。ええ、全く見当もつきません。

野々口が登校拒否していた理由ですか。はっきりしたことはいえませんが、まあ端的にいうと、学校が肌に合わなかったということでしょう。友達も殆どいなかったみたいですしね。ああそういえば、そのうちに転校するんだという意味のことを漏らしてたことがあります。もっといい学校へ行くんだというようなことをね。でも結局転校しなかったわけだから、その話も立ち消えになったんでしょうね。

僕に話せることはその程度です。何十年も前のことだから、殆ど忘れてしまいました。今度のことについてですか。驚きましたね。連中の子供の頃しか知らないから迂闊《うかつ》なことはいえませんが、やっぱり意外です。いや、日高のことです。彼は野々口に対して優位に立ってはいたけれど、手下扱いすることはなかったんです。正義感も強かった。だから野々口をゴーストライターにしていたというのはどうも……。もっとも、大人になると性格も少しは変わるでしょうがね。もちろん悪いほうに。

[高橋順次《たかはしじゅんじ》の場合]

驚いたねえ、あの事件のことで、まさか俺のところへ刑事さんが来るとは思わなかった。いや、あの二人が同級生で、俺と同じクラスだってことは新聞を読んで思い出してはいたんですよ。だけどねえ、別に親しかったわけじゃねえし、俺とは全然関係のない事件だと思ってましたよ。だってほら、文学っていうの？　ああいうの、これまでは縁がなかったからね。まあたぶん、これからもないと思いますよ。

で、何を訊きたいんですか？　ああ、あの頃のことですか。いやすみません、あんまり楽しい思い出でもないんでね、つい顔をしかめたくもなるわけですよ。

俺のことは誰から？　ああ、林田からね。あいつ、昔から口の軽い奴だった。ええ、そうです。最近じゃ社会問題みたいに騒がれてるんで、あんまり大きな声じゃいえないけど、いじめはしょっちゅうやってました。へへ。まあ、子供でしたからね。でも、ああいうことも必要じゃないかなと思うけどね。いいわけするわけじゃないけど。だって、社会に出りゃあ、いろいろといやなことや辛いことがありますわな。その予行演習みたいなもんだと考えりゃいいんですよ。ああいうことをくぐり抜けて、子供にも子供なりの知恵がつくってもんじゃないんですかい。俺はそう思うけどな。近頃ちょっと騒ぎ過ぎなんだよ。たかがいじめぐらいで。

当時のことを知りたいんなら、俺に訊くより、もっといい方法がありますよ。もちろん話すのはかまわないんだけど、いろいろと忘れてることもあるし、順序立ててきちんと話すっていうの、苦手なんですよ。途中で、自分でも何をしゃべってるのかわからなくなっちまう。

いい方法ってのはね、本なんですよ。日高の名前で出てる本です。ええと、あれ、何といったかなあ。難しい題名なんで、覚えにくいんだよなあ。えっ？　あっ、そうそう、『禁猟地』だ。それですよ、それ。なんだ、刑事さんも知ってたのか。だったら、わざわざ俺のところへなんか来なくてもよかったのに。

ええ、本なんか全く読まないんだけどね、あの事件があったもんだから、じゃあどんなもんかちょっと覗いてみるかって気持ちで読んだんです。ははは。図書館に行ったのなんか、初めてですよ。なんだか緊張しちまってね。

あの本を読むことにしたのは、話の筋を見たら、あの藤尾がモデルになってて、しかも俺たちの中学時代のことが書いてあるみたいだったからですよ。えっ、これはもしかしたら俺のことも書いてあるかもしれないぞ、なんて思ってね。

刑事さんも読んだんですか？　ああ、そうですか。ええとね、これはここだけの話ですがね、あそこに書いてあるのは事実ですぜ。いや、本当に。小説っぽくしてあるけど、ありゃあ事実そのまんまだ。もちろん名前なんかは違いますけどね。でもほかはあの通り。だからあれを読めば、どんなことがあったかなんて、全部わかっちまうはずです。俺たちが忘れたことまで全部書いてある。

ラップを身体にぐるぐる巻いて、体育館にほうっておくという手口が書いてあったでしょう？　あれなんか、冷や汗もんです。何しろ俺が先頭になってやったことだからね。自慢できることじゃないですわな。無茶苦茶やるのが楽しい時代ってあるじゃないですか、まああれですよ。

そういうのも全部、藤尾が指示してたんです。あいつはあまり自分じゃ手を下さなかったけど、仲間に命令してたんだ。子分のつもりはなかったですよ。ただ、あいつと組んでりゃ、いろいろと面白かったってことです。

藤尾がよその中学の女子を襲った件ですか。あの事件については、俺はよく知らないんですよ。いや、本当です。藤尾があの女に目をつけてたのは知ってましたけどね。髪の長い、小柄な、ま、美少女ってやつだ。藤尾は身体はでかかったけど、じつはロリコンでね、そういうタイプに弱かったんですよ。そのへんのことも、あの小説には書いてありましたよねえ。なかなか鋭いところをついてると、読みながら思いました。もっとも、あの小説を書いたのがあいつだってことなら、よく知ってても不思議じゃないかもしれませんがね。

そういやあの小説には、藤尾が一人で消える話も書いてあった。ほら、まだ授業が終わってないのに、六時間目の途中で、いつもふらっと一人で教室を抜け出す話ですよ。あれ正確にいうと、六時間目の途中じゃなくて、終わってすぐなんだ。だからホームルームの時に藤尾が教室にいたってことは、殆どなかったな。どこへ行ってたかってのは、あの小説に書いてあるとおりです。その美少女がいつも通る道ってのがあって、そこへ行ってたってわけです。で、そこへは絶対に仲間を連れていかなかった。いつも一人です。だから藤尾が、行って何をしてたのかは知りません。たぶんあの小説にあるように、じっと女の子を陰から見ながら、襲う計画を立てていたんだと思いますよ。そう考えると、なかなか不気味なものがありますな。

女の子を襲った時には、一人だけ仲間を連れていったみたいです。誰かは知りません。いや、本当ですって。今さら庇《かば》ったって仕方がない。もちろん俺じゃないですよ。悪いことはいっぱいやったけど、強姦の手伝いなんかはしません。信じてください。

おっしゃるとおり、あの『禁猟地』っていう小説の中には、襲った時にもっとたくさん仲間がいたみたいに書いてありましたね。一人が女の子を押さえつけて、一人が八ミリカメラを回してたんでしたっけ。それでほかの者が見張ってると。だけど実際には、手伝ったのは一人という話です。ええ、女の子の押さえ係だけ。八ミリカメラというのも実際とは違って、ポラロイドカメラだったそうです。藤尾自身が撮ったと聞いてますよ。その時の写真がどうなったのかは知らないなあ。小説じゃ、藤尾はやくざに売るつもりだったって書いてあったけど、どうかなあ。その写真を見たことはありません。見たかったってのが本音だけど、こっちまでは回ってこなかった。

ああ、そうだ。もしかしたらあいつが何か知ってるかもしれないな。中塚《なかつか》っていう奴です。藤尾の腰巾着《こしぎんちゃく》でね、そのかわり、いろいろとおこぼれにもあずかってたみたいだから。その時の写真にしても、藤尾が預けるとしたらあいつだな。もっとも、今でも持っているとは思えませんがね。連絡先はちょっとわからねえな。中塚昭夫《あきお》。昭和の昭に夫《おっと》ですよ。

そのへんの話、野々口からは何か聞いてないんですか。奴だって、結構知ってると思うんだけどなあ。知ってるから、ああいう本だって書いたわけでしょうが。へええ、あいつは何もしゃべらないんですか。まあしゃべりにくい内容ではありますわな。

なんでしゃべりにくいかって？　そりゃあ、あんまり格好のいい話じゃないでしょうが。誇れることじゃないよねえ。

いじめられてたからかって？　あいつがいじめられてた期間なんて、そんなに長くないですよ。藤尾は初めっから、野々口なんか相手にしていなかった。藤尾が目をつけてたのは日高ですよ。生意気だっていうのが理由でね。実際日高は、どんなにひどい目に遭わされても、藤尾のいいなりにはならなかったですからね。藤尾は藤尾で、舐められてたまるかってわけで、どんどん過激なことを考える。それでまああの小説みたいなことも起きたということです。

そうですよ。俺たちがラップを巻いた相手っていうのも日高です。ええ、窓から塩酸をかけたのもあいつに向けてです。野々口ですか？　野々口なんか、その頃にはもうこっちについてましたよ。そうです。俺たちの側に入ってたんです。あいつこそ藤尾の子分です。俺たちも、使いっ走りに使ってた。

あの二人が親友だったって？　そんなはずはない。いや、卒業後にどうなったのかは知りませんよ。今度の事件の記事を読んでみると、以前は仲が良かったみたいに書いてあるから、高校以後に変わったのかもしれないけど、俺の知っているかぎりだとそんなことは絶対になかった。だって野々口は藤尾に、日高のことをいろいろとチクってたんですよ。野々口がいなけりゃ、藤尾も日高のことを、あれほど徹底的に痛めつけようとはしなかったんじゃないかな。

だからあの『禁猟地』に出てくる浜岡っていう中学生、あれは日高のことです。それは間違いない。あの小説を書いたのは本当は野々口っていう話だけど、日高の名前で本にしなきゃならないから、日高のほうを主人公にして書いたんでしょうな。野々口は誰のモデルかって？　さあ、誰になるかなあ。はっきりとはいえないな。だけどいずれにしても、いじめグループの一人です。

でも考えたら妙だよねえ。いじめの加害者が書いた小説を、被害者の名前で発表したっていうんでしょう？　一体どういうことですかねえ。

［三谷宏一《みたにこういち》の場合］

なるべく手短にお願いしますよ。これから会議がありますんでね。

大体よくわかりませんなあ、私から何を聞きたいというんですか。いやまあ警察というのは徹底的に犯人の過去を調べる、という話は聞いたことがありますが、私が野々口と付き合っていたのは高校時代ですよ。

えっ、小学校の頃から調べておられるんですか。それはそれは……いやあ、なんといっていいかわかりません。そんなことが必要なんですか。へええ。

野々口は特に変わったところのない、ごくふつうの高校生でしたよ。私とは本や映画の好みが近くて、それでよくそういう話をしました。ええ、彼が作家になりたがっていたことも知っています。そのころから、将来はそういう仕事をするんだと宣言していましたから。ノートにショートショート風の小説を書いては読ませてくれました。内容は覚えてませんなあ。SF的なものが多かったと思いますが。面白かったですよ。少なくとも、当時の私は楽しめました。

野々口がうちの高校を選んだ理由ですか。それは当然、学力レベルが適当だと思ったからじゃないんですか。

いや、ちょっと待ってください。そういえば野々口がこんなことをいってたことがありました。じつは近くに、うちと同じレベルの高校がもう一つあったんだが、そこにだけは行きたくなかった、という意味のことです。何度か同じ台詞を聞かされたんで、未だに覚えています。ええ、何度も口にしたからには、心底そう思っていたんでしょうね。

その高校を嫌った理由ですか。はっきりしたことは覚えていないんですが、たぶん環境が悪いとか、生徒の質が悪いとか、そういうことだったと思います。彼はよくそういうことを口にしましたからね。自分の母校についてさえも。

ええ、母校というのは中学校や小学校のことです。それらの学校の悪口をですね、よくいってましたよ。

いや、中学時代の友達の話とか、そういうのはあまり聞いたことがありません。聞いたとしても、大したことではなかったはずです。印象には残っていませんから。日高邦彦という名前も、彼の口から聞いたことはありません。彼にそういう幼なじみがいたことは、今度の事件で知ったんです。

彼がよくしゃべっていたのは、学校や町そのものの悪口なんです。その町に住んでいる人間がいかに低級で、そんなところにある学校がいかに劣悪かということを、ことあるごとにこぼしてました。あまりにくどいので、ちょっとうんざりした覚えもあります。ふだんはふつうなのに、その話になるとムキになるんです。変なやつだなあと思いましたよ。誰だって生まれ育った町が一番いいと思うんですがねえ。

「僕の家は、もともとはあんなところにはなかったんだ。親父の仕事の都合で、仕方なく住んでいるというわけさ。だからもう少ししたら、また引っ越すことになるはずだよ。いわば仮住まいというやつだ。それで近所ともあまり親しくしないし、近くの子供とも遊ばなかったさ」

別にこっちは彼がどこに住んでいようが構わないんですが、しきりにそういうことをいってました。まるで言い訳するみたいにね。結局私と付き合っている間は、引っ越しはなかったようですが。

引っ越しで思い出しましたが、彼はこんなこともいってました。

「小学生の時、一度転校できるチャンスがあったんだ。僕がどうしても今の学校に馴染めないってことで、両親がいろいろと手を回してくれたわけさ。ところが結局その話もボツになってしまった。詳しいことはわからないけれど、曲がりなりにも僕がきちんと学校に行っているというのがまずかったらしい。ひどい話だよ。僕は毎日憂鬱な気分で通っていたんだぜ。近所にお節介なやつがいてさ、そいつが毎日誘いに来るものだから、仕方なく登校してたんだ。全く迷惑だったよ」

私なんかは、近所にそんな親切な友達がいたらいいと思いますが、まあ野々口には野々口なりの言い分があったんでしょうな。

高校卒業後は、野々口とは会ってません。いや、一回ぐらいは会ったかな。どちらにしても、その程度のものです。付き合いはありません。

日高邦彦の小説ですか。じつをいうと読んだことはなかったんです。小説は読むんですがね、推理小説なんかをね。トラベルミステリーというんですか、ああいうのが好きでして。あまり肩のこりそうなのは敬遠しています。

でも今度の事件があったでしょう。それでちょっと読んでみようという気になって、一冊だけ読みました。本当の作者があの野々口というんですから、なんだかぞくぞくしましたよ。

『夜光虫』という作品です。芸術家の夫が妻の浮気に悩むという話です。難しいことはわかりませんが、なるほどと思う点がいくつかありました。つまり、あっ、これはやっぱり野々口の作品だなと思わせる点です。彼の個性のようなものが、随所に出ていると感じられたんです。個性というのは、子供の頃から変わらないものなんですねえ。

えっ？　あ、そうなんですか。『夜光虫』は日高邦彦自身の作品なんですか。ははあ、あ、そうですか。

いやあ、これは恥をかいちゃったなあ。うーむ、まあ、素人にはわからないということでしょうな。

こんなところでいいですか。会議がありますので。

[藤村康志《ふじむらやすし》の場合]

はい、私が修の叔父です。修の母親が私の姉だったんです。

利益の返還請求って、何もそんな、金、金といっておるわけではないですよ。こちらとしてはですね、とにかく筋を通しておこうと、話をすっきりさせておこうと、そのようにいっておるわけです。

修が日高さんを殺《あや》めてしまったというのは、それは許されることではないですよ。相応の償《つぐな》いをせにゃあならんと思うし、そのつもりだから修も自供しておるわけでしょう。

しかしですね、そのためには、まず話の筋を通しておかねばならんと思うわけです。修にしても、わけもなくあんなことをしてしまったんじゃない。聞けば、日高さんとの間にいろいろとあったらしいじゃないですか。ゴーストライターというんですか、日高さんの代わりに小説を書かされとったというんでしょう。で、それでとうとう堪忍袋《かんにんぶくろ》の緒《お》が切れてしまったと。

つまりあっちにも非はあるわけだ。修だけが悪いんじゃあない。それなのに修だけが罰せられて、はいおしまいというのは変じゃないですか。あちらさんの非についてはどうなるのかということです。

私はよくは知らないが、日高邦彦といえば、それはもうずいぶんと売れておったそうじゃないですか。高額納税者のベストテンとかに入ったこともあるそうじゃないですか。それは誰が稼《かせ》いだお金だったんですか。修が小説を書いて、それを売って儲けた金でしょうが。その金をそのままにしておいて、修だけを罰するというのは、それはちょっとおかしいんじゃないですか。私はおかしいと思うなあ。私なら、そんな金は返しますよ。それが当然じゃないですか。

ええもちろん、あちらさんにも言い分はあると思いますよ。だからこれから弁護士の先生も交えてですね、きちんと筋の通った話にしていこうと、このように思っておるわけです。だって、私はとにかく、修の力になってやりたいだけです。金が欲しいわけじゃないですよ。だって、いくら返してもらったって、私のものになるわけではないですからね。それは修の金だ。当たり前です。

それにしても、このことで刑事さんがうちにいらっしゃるというのはどういうことですか。私らがいっておるのはいわば民事のことで、刑事さんとは関係がないと思いますが。

ああ、本当の用事はこのことじゃなかったんですか。

姉のことですか。ええ、そうです。あの町へは、修が生まれて少ししてから引っ越したんです。家を買いましてね。旦那の親戚があそこに持っていた土地を安く譲ってもらって、そこに家を建てたというわけです。

姉があの町をですか？　うん、まあおっしゃるとおり、あまり気に入ってはいなかったです。いつだったか、あんなところだと知っていたら、絶対に家なんか建てなかったとこぼしてたことがありましたよ。姉は住むようになってから、周辺のことをいろいろと調べたそうですな。それで、そういう感想を持ったようです。

あの町の何が気に食わなかったのか、それは知りません。その話をすると姉が不機嫌になるので、避けておったのです。

刑事さん、なぜそんなことをお訊きになるんですか。そんなことが、今度の事件とどう関係しているというんですか。

いくらいろいろと調べる必要があるといっても、姉のことまであれこれ尋ねるのはやりすぎじゃないですか。まあ、何を訊かれても、後ろぐらいことなんか何もありませんから構いませんがね。

［中塚昭夫の場合］

野々口？　誰だいそりゃあ。知らない名前だな。

俺の中学時代の同級生だって？　ふうん、そんなのもいたかな。忘れちまったよ。

新聞なんか、ここんところ読んでないな。作家が殺された事件？　知らねえよ。

ふうん、作家も犯人も俺の同級生なのか。で、それがどうしたんだ。俺とは関係ねえよ。話すことなんか何もねえ。こっちは失業中で、これから職探しに行かなきゃならねえんだ。邪魔しないでもらいたいね。

日高？　日高って、あの日高か。殺された作家って、あいつなのか。

ああ、あいつのことは覚えてる。へえ、あいつがね。人間、いつどんなふうに死ぬかわかんねえもんだな。

そんなこと訊いてどうするんだよ。あいつのガキの頃のことなんか、何の足しになるんだ？　捜査って、犯人は捕まってるんだろう。あんたそういったじゃないか。

へっ、近頃じゃ刑事も妙なことを調べるんだな。

やめてくれよ、古い話だ。

ああ、そうだよ。日高は何度か痛めつけてやった。つまらねえ理由だよ。面を切ったとか、そういうのばっかりだ。適当に因縁つけるんだ。

だけど日高はしぶとい奴だった。とうとう一度も金を出さなかったからな。ほかのやわな連中は、ちょっと脅せば千円でも二千円でも出したのにさ。だからまあ、こっちも意地になって日高一人を狙ったわけだ。あいつは根性のある奴だったよ、今だからいえることだけどな。

しつこいな。だから野々口なんてやつは知らねえよ。

ああ？　ちょっと待ってくれ。野々口？　野が二つに口か。

そうか、ノロのことか。ノロガメのことか、野々口っていうのは。ああ、そいつなら覚えてる。藤尾の財布だ。

財布っていやあ財布だ。金の入ってる袋だよ。そうさ、せっせと金を藤尾に貢いでたんだ。金を出して、おまけに家来扱いされてんだぜ、全く腑抜けみたいな野郎だった。

藤尾が学校を追い出された後は、俺たちの仲間もバラバラさ。ノロも、いつの間にか俺たちの集まりに顔を出さなくなったな。

よその中学の女をやっちまったことか？　あのことは俺はよく知らねえよ。ほんとだ。たしかに藤尾と一番親しかったのは俺だが、その俺にも詳しいことをいってくれなかったんだ。大体、あの後俺はろくに藤尾とは会ってないんだ。あいつは自宅謹慎させられてたからな。

違う、俺じゃねえ。藤尾が女を襲う時、一緒にいたのは別の誰かだ。知らねえよ、本当だって。

ようあんた、あんな古い事件が今度の殺しと何か関係あるのかい？

いや、ちょっと気になることがあってさ。殺されたのは日高だっていったな。

いつだったかはっきりとは覚えてないんだが、日高が俺のところへ来たことがあるんだ。藤尾や、女を襲った事件について何か知ってることがあったら教えてほしいとかいってさ。

いつだったかな、三、四年前じゃなかったかな。

ああ、そういやあ、藤尾をモデルにした小説を書くようなことをいってたかな。あまり本気にしなかったんで、今まで思い出すこともなかったが。すると、あの時はもう日高は作家だったのか。ふうん、それならもっと礼金をふんだくるんだったな。

ああ、一応俺が知ってることは話してやったよ。日高の奴も、別に俺に対して恨みを持っているようでもなかったからな。

女を襲った事件のことは、殆ど何も知らんといったよ。それでも日高はしつこくて、何かちょっとでも覚えてることはないのかって粘ってきやがった。あいつも俺が藤尾と一緒になって女を襲ったと思ってたらしいな。

写真？ なんのことだ？

俺が持ってるって、誰がそんなことといったんだ。

……まあな、持ってたよ。

藤尾が捕まる前に、一枚だけ俺にくれたんだ。写りが悪いやつをさ。持ってるぐらいかまわねえだろ？　それでどうこうしようとしたわけじゃない。

なんでずっと持ってたかっていわれても困るな。たまたま捨てなかっただけだ。あんただって家の中を探しゃあ、ガキの頃の写真が一枚や二枚は見つかるだろう。

今は持ってねえよ。ちょうど日高が来たすぐ後に捨てちまったんだ。

その写真を日高にかい？　ああ、見せてやったよ。まあこっちも昔のことがあるし、わざわざ来たんだから、ちょっと土産を持たせてやろうって気になってな。

貸してくれっていうから、俺はやるっていったんだ。だけど二、三日してから、封筒に入れて送り返してきた。写真とかは保存しない主義だからとか書いてあったな。その封筒は、そのままゴミ箱に捨てた。で、それっきりだ。

それ以後日高とは会ってねえよ。

写真はその一枚だけだ。ほかの写真がどうなっちまったのかは知らねえよ。

じゃあな、もういいだろ。

[辻村平吉《つじむらへいきち》の場合]

すみません、私、孫の早苗《さなえ》です。おじいちゃんのいうこと、ふつうの人じゃたぶん聞き取れないと思いますから、私が通訳します。いえ、いいんです。そのほうが話が早く済むし、結果的にこちらも助かるんです。

ええと、いくつだっけ。たぶん、九十一だと思います。心臓が丈夫なんです。でもやっぱり足腰からきちゃったみたいですね。いえ、頭のほうはわりとしっかりしてるんですよ。耳が遠いのが難点ですけどね。

花火師をしていたのは、十五年ほど前までです。年齢的な理由よりも、需要と供給の問題ですよ。川べりの花火大会がなくなっちゃってから、仕事が殆どなくなりましたからね。まあでも、ちょうどいい潮時だったと、家族は思ってるんですよ。うちの父は、仕事を継ぎませんでしたしね。

何ですか、この本？　へえ、『燃えない炎』……あっ、あの日高邦彦の小説なんですか。いえ、知りませんでした。うちの者は誰も読んだことはないと思いますよ。おじいちゃんにですか？　じゃあ、一応訊いてみましょうか。たぶん無駄だと思いますけど。

……やっぱり知らないみたいですね。おじいちゃん、ここ何十年も本なんか読んでないそうです。この本がどうかしたんですか。

あっ、そうなんですか。これ、花火師の話なんですか。

……珍しいものを書く人もいるもんだと、おじいちゃんはいってます。だってふつうの人じゃ、あまり縁のない仕事ですものねえ。

へえ、日高邦彦って、あのあたりに住んでたんですか。ええ、そうです。おじいちゃんの仕事場は、あそこの神社のそばにあったんですよ。えっ、そうなんですか。子供の頃、おじいちゃんの仕事を見て、それで大人になってから小説に使ったんですか。おじいちゃんのことが印象に残ってて。へええ。

……そういえば、ごくたまに近所の子供が遊びに来ることがあったそうです。危ないから、近づかせないようにしていたらしいんですけど、あまり熱心に通ってくるんで、まわりのものに触らないことを条件に、仕事場に入れてあげたそうです。

そういう子供が何人ぐらいいたのかという質問ですか。ちょっと待ってください。

……何人もいたわけじゃないそうです。覚えてるのは一人だけだそうです。

名前はどうかしら。とりあえず訊いてみます。

……名前は知らんといってます。ええ、忘れたんじゃなくて、最初から知らないそうです。このおじいちゃん、昔のことは結構よく覚えてるから、たぶんいっているとおりだと思いますよ。

さあ、それはどうかしら。いくら昔のことは覚えてるといっても、それは無理じゃないでしょうかねえ。一応いってみますけど。

……びっくりしました。覚えてるそうです。写真を見ればわかるといってます。その写真、今お持ちなんですか？　じゃあ、ためしに見せてみましょうか。

あら、なんですか、それ。へえ、中学の卒業アルバムなんですか。はい、このクラスの中に、その子供がいるはずなんですね。あっ、でも、その子供がおじいちゃんの仕事場に行ってたのは、もっと小さい頃なんでしょう？　そうなんですよね、やっぱり。あらら、困ったわ。そういうことをおじいちゃんに説明するのって、すごく難しいんですよね。こんな大きい子供じゃなかった、なんていいだすんじゃないかしら。ええ、まあ、なんとか説明してみます。

過去の章　その三　加賀恭一郎の回想

野々口修と日高邦彦の過去、特に中学時代に関して、多少なりとも何かを知っていると思われる人物には、まず一通り会うことができたと思う。もちろんほかにもいるだろうが、とりあえず必要なデータは得られたのではないか。それらのデータはまだバラバラのジグソーパズルのようであるが、完成図の姿がおぼろげながら見えてきているのだ。そしてそれこそが今回の事件の真の姿であると確信している。

中学時代のいじめ事件——やはりあれが二人の関係を象徴したものであったといえるだろう。そう考えて初めて、合点のいくことがたくさんある。彼等の忌《い》まわしい過去を抜きにして、今度の殺人を語ることはできない。

いじめについては私にも多少の経験がある。といっても私自身がいじめに遭ったわけでも、逆に誰かをいじめたわけでもない(少なくともそういう意識はない)。経験というのは、教育者としての立場からだ。もう十年も前の話である。私は中学三年生のクラスの担任をしていた。

自分のクラスでいじめが行われているらしいと察知したのは一学期の後半だった。きっかけは学期末試験だった。

加賀先生のクラスではカンニングが行われているのではないか、と知らせてくれた教師がいた。英語の教師だった。彼によると、五人の生徒がある問題について全く同じ解答を書いており、それが正解ならともかく、同じ間違いをしているというのだ。

「しかもその五人の席は後ろのほうに集まっているんだ。カンニングと考えて、まず間違いないと思うね。僕のほうから注意してもいいが、まず君に知らせておこうと思ってね」

この英語教師は、常に冷静に物事を考えるタイプだった。この時も、不正をされたことで怒っている、というふうでもなかった。

私は少し考えてから、自分に任せてもらえないかといった。もしカンニングが行われたのなら、それは英語だけで済んでいるとも思えないからだ。

「それはかまわんよ。だがとにかく早めに手を打ったほうがいい。一度見逃すと連中は増長するからな」

英語教師の忠告はもっともなものであった。

私は早速他の科目の教師に、問題の五人の解答に不審な点がないかどうかを調べてもらうことにした。もちろん私の担当である社会（地理）については自分で調べてみた。

その結果、国語、理科、社会では明瞭な形跡は見つからなかった。相似点がなくもないのだが、だからといってカンニングがあったとは断定しにくいのだ。この点について理科の教師はいった。

「連中も馬鹿ではないからね、見え見えのことはしないだろう。子供は子供なりに工夫するものだからな」

だがその工夫が数学においてはおろそかになったようだ。数学教師はカンニングがあっただろうと断言した。

「一年や二年の数学がわかっていない者が、三年になって突然理解するということはありえない。だから、どの生徒ならこの問題を解けて、どの生徒ならお手上げかは、試験をする前から大体わかる。たとえばこの山岡という生徒に、最後の証明問題は無理だ。解答のこの部分に、彼は『ADEF』と書いているだろう。じつはこれは『△DEF』が正しい。図形問題に関する知識がないから、他人の答案の『△』の記号をアルファベットのAと見間違えたのだろう」

数学者らしい、説得力のある意見だった。

どうやら楽観できる事態ではなさそうだった。私はどう対処すべきか考えた。カンニングについては、その現場を押さえないかぎりは、余程のことがないかぎりは処罰しないというのがこの学校の方針だった。しかし教師側が全く気づいていないわけではないということを、生徒たちに教えておく必要があった。いわば警告するわけだ。そこで私はある日の放課後、彼等を集めた。

その場で私はまず、彼等にカンニングの疑いがかかっていることを告げた。疑いの根拠としては、英語の試験で同じ間違いをしていることなどを挙げた。

「どうなんだ、やったのか？」

私の問いに誰も答えようとしなかった。それで私は、山岡という生徒を名指しして尋ね直した。

彼は首を振り、やってません、と答えた。

私は他の者にも一人ずつ訊いていった。全員が否定した。

証拠がないので、これ以上追及することはできなかった。だが彼等が嘘をついていることは明白だった。

彼等のうちの四人は終始ふてくされた態度だったが、一人だけ目の周りを真っ赤にしている者がいた。前野という生徒だった。それまでの成績からして、この生徒の答案を元にカンニングが行われたことは間違いなかった。もちろん見せたほうも見たほうも同じように罰するというのが、わが校のルールだった。

その夜、前野の母親から電話がかかってきた。息子の様子がおかしいが、学校で何かあったのかと訊く。

私がカンニングのことをいうと、彼女は電話の向こうで小さく悲鳴をあげた。悪夢を見ているような気持ちだったに違いない。

「仮にカンニングが行われたとしても、前野君は答案を見せてやった側だと思います。でも不正は不正ですからね。まあもっとも、今回は証拠がないわけですから、警告だけで留めておきました。かなりショックを受けているようですか」

私が訊くと、彼女は涙声で意外なことをいった。

「それが、服を泥だらけにして帰ってきたんです。部屋にこもったきり出てこないんですけど、ちらっと顔を見たら、なんだか腫れてて、血も出てるみたいで……」

「顔が……」

翌日、前野は風邪を理由に学校を休んだ。そして次の日出てきた時には、眼帯をつけていた。痣《あざ》や頬の腫《は》れ具合から、殴られたらしいとすぐにわかった。

この時点で私には事情が飲み込めた。前野は連中の仲間ではなく、他の四人のいいなりにさせられたのだ。殴られたのも、カンニングがばれたことの腹いせからに違いない。ただこうしたいじめがいつも行われているのかどうか、そこまでは判断できなかった。

そして夏休みになった。結果的にこれが悪いタイミングだった。折角《せっかく》いじめの気配を察知しながら、この間私は何もしなかったのだ。弁解するならば、忙しすぎた。夏休みとはいっても、進路指導のことを考えると休んでいる暇はなかった。集めねばならない情報や、処理すべき仕事が、いつも山のようにあった。しかしやはりこれは言い訳だ。この夏休みの間に、前野は十万円以上の金を山岡たちに奪われていた。いやそれ以上に、彼等を繋ぐ黒い絆《きずな》が、より陰湿で複雑なものに変貌していった。そしてそのことを私は、ずっと後になってから知るのだ。

二学期になり、前野の急激な成績低下と、一部の良心的な生徒の情報により、悪質ないじめが半ば日常化しているという現実を私は知った。私は彼の頭に煙草の火による火傷《やけど》が六ヵ所もあることなど、想像もしていなかったのだ。

どう対応すべきかを考えた。教師の中には、三年生のいじめは見て見ぬふりをして卒業を待つのが一番だといっている者もいたが、私にはそんなことはできなかった。私は三年生を受け持つのは初めてだった。私のクラスに入ったことを、生徒の不運にしたくなかった。

私はまず前野から話を聞くことにした。どのようないきさつでいじめが始まり、今までにどんなことがあったかを聞き出そうとした。

しかし彼は何もいわなかった。何かしゃべることにより、さらにいじめがエスカレートすることを恐れていたのだ。彼の怯えが尋常でないことは、こめかみから流れる汗や、震える指先が語っていた。

私は彼に自信をつけさせることから始めようと思った。そこで思いついたのは剣道だった。私は剣道部の顧問をしていた。剣道を始めることで気の弱そうな少年がみるみるたくましくなるのを、私は何度も見ていた。

といってもこの時期から剣道部に入れるわけにはいかなかったから、早朝、個人的に指導することにした。前野はあまり気乗りしていない様子だったが、一応毎朝道場に現れた。彼は頭の良い少年だったから、若い教師がなぜ急に自分に剣道を教えようとするのかを理解し、それを無視するのは悪いと思ったのだろう。

そんな彼が関心を示したものがある。それは包丁投げだ。

これは集中力を養うために、私が時々やっていた訓練である。立てた畳に向かって出刃包丁を投げるのだ。目をつぶって投げたり、時には後ろ向きに投げたりもする。私は万一の事故を考えて、誰も来ないうちにこの訓練をしていたのだが、たまたま前野が目撃し、興味を持ったのだ。

彼は教えてほしいといったが、無論そんなことはできなかった。ただ、訓練を見学することは許可した。彼は離れたところから、この包丁投げを真剣に見つめていた。

「自分ならできる、そう信じることだ」

コツを訊かれた時、私はそう答えた。

いじめの中心人物である山岡が盲腸で入院したのは、それから間もなくのことだった。私はこれを大きなチャンスだと捉えた。このままいじめが鎮静化するのを待つような消極策ではいけないと思った。このチャンスを利用し、前野の山岡に対する卑屈な気持ちを消し去ろうと考えた。

私は前野に、自分のノートをコピーに取り、毎日病院に届けるよう命じた。彼は泣きだしそうになりながら拒否したが、私は認めなかった。彼を負け犬のままで卒業させたくはなかったのだ。

病院でどのようなやりとりがあったのか、私は知らない。無言で前野はコピーを置き、すぐに病室を出たのかもしれない。また山岡も毛布で顔を隠したままだったかもしれない。それでも私はいいと考えていた。

山岡が退院して間もなく、私はこの試みが成功だったと確信した。生徒の何人かにそれとなく尋ねたところ、前野がいじめられているという話は聞かなかったからだ。生徒が本当のことをいっているとはかぎらなかったが、私は以前に比べて明るくなった前野の様子から、事態が好転したと判断した。

それが大きな錯覚だったと知らされるのは、最後の土壇場、すなわち卒業式が終わってからだった。

私はいい気になっていた。生徒全員の進路は決まっていたし、積み残した問題はないと信じていた。これからも教師としてやっていけそうだとうぬぼれ始めていた。

そんな私のところに、一本の電話がかかってきた。警察からだった。少年課の警官が語った内容は、私の頭に冷水を浴びせかけた。

前野が傷害罪で逮捕されたというのだ。

場所はゲームセンター内だ。被害者は山岡だった。

話を聞いた時、逆ではないかと思った。被害者が前野で、加害者が山岡なのでは、と。だが話を聞くうちに事情が飲み込めてきた。逮捕された時、前野の服は破れ、全身に傷を負っていた。そして顔面は歪んでいたという。

彼をそれほどの目に遭わせたのは、いうまでもなく山岡たちだった。前野が一人でいるのを見つけ、仲間数人で袋叩きにしたのだ。連中は、在学中は加賀という口うるさい教師の手前、いじめを我慢していただけだった。立ち去る時、彼等は前野の顔に小便をかけていった。

前野がどれぐらい倒れていたのかはさだかでない。だが全身の痛みをこらえて立ち上がると、彼は中学の剣道場へ行った。そして私のロッカーから出刃包丁を盗み出したのだ。

山岡たちの居場所を知っていたのは、それまでに何度か金を持っていった経験からだった。前野はテレビゲームの間ではしゃいでいる山岡を見つけると、殆どためらうことなく後ろから襲いかかった。彼が持った出刃包丁は、山岡の左脇腹に刺さった。

警察へは、店の人間が通報した。そして警官が到着するまで、前野は突っ立ったままだったということだ。

私はすぐに警察へ行った。しかし前野に会うことはできなかった。本人が拒絶したからだ。また山岡はすぐに病院に連れていかれたそうだが、命に別状はないということだった。

後日担当の警官は私にいった。

「前野君は、相手を殺して自分も死ぬ気だったそうです。また山岡という少年に尋ねたところ、前野君に暴力をふるった理由は、気に食わなかったからだといっています。なぜ気に食わなかったのかと訊いてみましたが、理由はないようです。とにかく気に食わないから気に食わないんだ、そういってます」

この言葉を私は暗い気持ちで聞いた。

前野とも山岡とも、その後一度も会うことはなかった。特に前野の母親によると私は、「この世で最も会いたくない人間」なのだそうである。

その年の四月、私はもう教壇には立たなかった。つまり逃げ出したわけだ。

それまでの人生で、最大の敗北であったと、今も思っている。

真実の章　加賀恭一郎による解明

身体の具合はどうですか。先程ちょっと担当の先生から話を聞いてみたのですが、手術する決心をなさったそうですね。それを聞いて私も安心しましたよ。

弱気なことをおっしゃいますね。いや、かなり成功する可能性は高いという話でした。気休めじゃありません。本当のことです。

一度お伺いしたかったのですがね、あなたが自分の病状について自覚なさったのはいつ頃のことですか。この冬？　今年になってから？

そんなことはないでしょう。少なくとも、去年の暮れには病気が再発していることを感じたはずだ。同時に、今度はだめかもしれないというように思ったんじゃありませんか。だからこそ、病院にも行かなかったんじゃないんですか。

私がそんなふうに考える理由はただ一つです。少なくともその頃には、あなたが今度のことを計画なさっていたと思われるからです。今度のことというのは、もちろん日高邦彦さん殺しです。

少し驚きましたか。でも私としては、突飛なことをいっているつもりはないのです。ええ、根拠はあります。証拠だってあります。それについて、これからお話ししようと思っているわけです。話が少し長くなると思いますが、先生には許可をいただいております。

まずこれを御覧になってください。ええ、写真です。見覚えがあるでしょう？　例の、あなたが日高家に忍び込むシーンをビデオ撮影したものです。日高邦彦さんがカメラをセットして、隠し撮りしたものだそうですね、あなたの話によれば。

その映像のワンシーンを、こういうふうにプリントアウトしてもらったのです。ご希望とあれば、ここにモニターを持ってきて、映像のすべてをお見せしてもいいのですが、たぶんその必要はないでしょう。この一枚で充分です。それにあなただって、あの映像は見飽きたでしょうから。

だってあの映像は、あなたがお作りになったわけでしょう？　あなたが演じ、あなたが撮影した。監督兼主演というわけだ。見飽きて当然だと思うじゃないですか。

そうです、偽造だといっているわけです。ここに写っている内容は、全て作り事だと。

ええ、だからそれを証明しようとしているのです。この写真を使ってね。といっても、それほど大したことではないのです。私がこの写真を見ていいたいことはただ一つです。このビデオ画像は、隅に表示されている七年前の日付の日に撮影されたものではないということです。

なぜそんなことが断言できるのか、説明しましょう。じつは簡単なことなのです。ここには日高家の庭が写っています。そして庭には草花が植わっています。もちろんこの写真には、大した植物は写っていません。日高家自慢の桜の木は画面に入っていないし、芝生は枯れています。一見したところでは、冬場ということはわかるものの、それがいつの冬なのかは判別しにくいようです。おまけに真夜中ということもあり、暗くて細かい部分までは見にくいときている。おそらく、だからこそあなたも、このビデオで我々を欺《あざむ》けると思ったのでしょうね。

しかし野々口さん、あなたは重大なミスをしていたのですよ。ブラフではありません。本当にミスをしているのです。

教えてあげましょう。それは影です。芝生に桜の木の影が落ちているでしょう。これが致命的になりました。

ええ、あなたのおっしゃりたいことはわかります。七年間で木が成長したにしても、光線の具合などもあり、単純に影を比較しただけでは、それが今の木なのか、昔の木なのかはわかりません。そのとおりです。

でも私がいいたいのはそんなことではないのです。木の影が一つしかないということが問題だといっているのです。

まだおわかりにならないようですから、私が解答を申し上げましょう。もしこの映像が本当に七年前の庭を撮影したものなら、ここに木の影は二本ないといけないのです。なぜだかわかりますか。簡単なことです。ええ、そうです。七年前、日高家の庭には、八重桜の木が二本あったのです。仲良く並んで、ね。

反論はありますか。

あのビデオは、たぶん最近撮影されたものでしょう。あなたによってね。問題はあなたに撮影するチャンスがあったかどうかということです。その点については日高理恵さんに確認しました。

さほど難しくないのではないか、というのがあの方の回答でした。去年の暮れなら、日高邦彦さんはまだ独身であり、出版社の人間と飲みに出た時などを狙えば、ゆっくりと撮影に励めるだろうというわけです。

ただしその場合には家の合鍵が必要になります。庭から日高さんの仕事場に忍び込むシーンを撮るには、仕事場の窓の鍵をあけなければなりませんからね。

理恵さんによると、その点についても問題はないだろうということでした。というのは日高邦彦さんは外へ飲みに行く時には、自分では鍵は持たず、玄関前の傘立ての裏に隠すようにしていたからだそうです。一度ばかり外で鍵を紛失して以来、そんなふうにすることにしたらしいです。そのことをあなたが知っていたのなら、合鍵など不要ということになります。そしてあなたは知っていたはずだと、理恵さんは証言しておられます。

でもね、野々口さん。私がビデオテープが偽造だと思ったのは、八重桜の影に気づいたからではないのです。じつはその逆で、偽造に違いないと思ったからこそ、何度もテープを再生し、昔の日高家の庭が写っている数少ない写真を見つけてきたりして、あの矛盾点を発見したのですよ。では、なぜ偽造に違いないと思ったか。それは、他の証拠物件に対して疑いが出てきたからです。

他の証拠物件とは何を意味するか、野々口さん、あなたにもうおわかりですよね。そうです。あの膨大な量の原稿です。私が発見し、これこそ日高邦彦さん殺しの動機に繋がるものだと確信した、あの作品の山です。

今度の事件であなたを逮捕し、あなたの告白文を読んだ後も、私には腑《ふ》に落ちないことがたくさんありました。もちろん疑問の一つ一つに関して、何らかの説明は可能です。しかし説明可能なのと、納得できるというのは別です。野々口さん、あなたの告白文には、どこか歪みのようなものが感じられるのですよ。その歪みのせいで、告白されている内容を、どうしても真実として受けとめることができないのです。

そしてある時私は見つけました。大きな手掛かりをね。今度の事件以後、私は何度もあなたと会っているはずなのに、それまで気づかなかったのが不思議なぐらいでした。それほど身近なところに、ヒントは提示されていたのです。

野々口さん、右手を出してみてください。

どうしたんですか。右手です。なんなら、右手の中指だけでもいい。

その中指にあるのはペン胼胝《だこ》ですね。かなり立派なものです。

おかしいじゃないですか。あなたはワープロ派でしょう。原稿もそうだし、教師時代も、ずっとワープロを使っていたと聞いています。それなのに、どうしてそんなに大きなペン胼胝ができるのですか。

なるほど、ペン胼胝ではないというわけですか。じゃあそれは何ですか。わからない？　覚えがないというわけですか？　どう見てもペン胼胝にしか見えませんが、そんなものができることに心当たりがないというわけですか。

それならそれでもかまいません。大事なことは、私にはペン胼胝に見えたということです。そう見えたからこそ、考えました。ワープロ派のあなたが、なぜペン胼胝を作ったのか、それほど大量に何かを手書きすることなどあるのだろうか、とね。

　そうして思い当たったのが、あの古いノートや原稿用紙に書かれていた作品群です。私はある推理を立てました。その時に私は背中がぞくりとしましたよ。もしこの推理が当たっていたなら、事件の構図が百八十度ひっくり返ってしまうわけですからね。

　そうです、私は次のように推理したのです。あの膨大な量の作品は、昔書かれたものではなく、最近になってあなたが大急ぎで書いたものではないか、と。

私が寒気を覚えたのも無理がないでしょう？　もしそうだとすると、日高さんがあの作品群からアイデアを盗用していたというのも、嘘だということになります。

なんとかことの真偽をたしかめる方法はないか？　私はいろいろと調べました。そして決定的な証拠を摑んだのです。

野々口さんは、辻村平吉さんという人を御存じですか。御存じありませんか、そうですか。やっぱりね。

あなたの告白文によると、あなたは日高邦彦さんと子供の頃よく近所の花火師の仕事を見にいっており、その時の思い出を元に『丸い炎』という小説を書いたということですね。そしてその『丸い炎』を下敷きにして、日高さんは『燃えない炎』を書いたのだと主張しておられるわけだ。

辻村平吉さんというのはね、その時の花火師なんですよ。

ええ、それはわかっています。名前を忘れていたなんてことは問題じゃありません。おそらく日高邦彦さんに訊いたって、忘れたとおっしゃったんじゃないでしょうか。

でもね、辻村さんのほうは覚えていたんですよ。名前じゃありません。顔を覚えておられたのです。昔、よく仕事場に遊びに来ていた子供の顔をね。辻村さんの話では、子供は一人だけだったそうです。

はい、そうです。生きておられるんですよ。九十歳以上におなりで、車椅子生活をしておられますが、頭のほうはしっかりしたものでした。あなたがたの中学時代のアルバムを見せたのですがね、遊びに来ていた子供の顔を、一目見るなり指さされましたよ。

日高邦彦さんの顔をね。

あなたのことは知らないとおっしゃいましたよ。

辻村さんの証言で、私は確信しました。日高さんがあなたの小説を盗作していたというのは嘘で、あの古い大学ノートや原稿用紙に書かれていた作品は、すべてあなたが日高さんの本を書き写したものにすぎないのだと。

さてそうなると、あなたが日高さんに殺人未遂の件で脅迫されていたという話はどうなのか。

おわかりですね。このように考えた末、あのビデオテープを疑うに至ったのです。あなたの殺人未遂を明確に示しているのは、あのビデオテープだけですからね。その時に使用したというナイフには、何の証拠能力もありません。単にあなたの指紋が付いているだけなのですから。

そうして今説明しましたように、ビデオが偽造であることを発見しました。これは逆にいえば、それまでに立てた仮説がすべて正しかったことを意味します。つまり殺人未遂事件などは起きておらず、日高さんはあなたを脅迫もしなかったし、したがってやはり盗作もなかったのだということになります。

では殺人未遂のきっかけであったとあなたが告白している、日高初美さんとあなたとの関係はどうだったのか。あなたがいっているような不倫の関係が、本当に存在していたのか。ここで復習してみましょう。あなたと日高初美さんとの関係を暗示したものはどういうものだったのか。

まずあなたの部屋から発見された、エプロンとネックレスと旅行申込書です。それから後日やはりあなたの部屋から見つかった、富士川サービスエリアで撮影したと思われる初美さんの写真。それから同じ場所で撮ったと思われる風景写真。

以上です。ほかには何もありません。二人の関係を証言している人もいません。

これらのうち旅行申込書は、なんとでも好きなように書けるのだから、あなたと初美さんの関係を証明しているとはいえない。ネックレスは、あなたが初美さんにプレゼントするつもりだったとあなたがいっているだけだ。ではエプロンはどうか。あれはどうやら初美さんの持ち物に間違いなかったようです。あのエプロンをつけて写っている写真があることは、いつかあなたにもお話ししたとおりです。

しかしあなたが日高初美さんのエプロンを、日高家から持ち出すことは不可能ではなかった。日高邦彦さんが理恵さんとの結婚を前に、前妻の初美さんの荷物を整理した時、あなたは手伝いに行っているからです。こっそりとエプロンの一つぐらい盗み出すのは、おそらく容易だったでしょう。

その手伝いの日、あなたはほかにもあるものを盗み出した可能性があります。それは写真です。盗み出すべき写真の条件は、たぶんこういうものだったでしょう。まず初美さんが一人で写っていること、同じ場所で邦彦さんの写っている写真がないこと、そしてもう一つ、できれば同じ場所から撮った風景写真があること。それらの条件を満たしたものが、例の富士川サービスエリアでの写真だったのです。あなたは初美さんが写っている写真と風景写真を、ポケットに忍び込ませました。

ええ、もちろんあなたが盗んだという証拠はありません。でも盗むことは可能だったのです。そしてそれが可能である以上、あなたが告白している初美さんとの不倫関係を、鵜呑《うの》みにするわけにはいかないのです。

むしろ、殺人未遂事件や日高邦彦さんによる脅迫も盗作もなかったということであれば、その前提条件ともいえる、あなたがたの不倫もなかったと考えるのが妥当ではないでしょうか。

そう。このように考えると、当然初美さんの事故死についても一つの解答を出せます。あれは間違いなく事故死であり、自殺などではなかった、と。動機がないのですから、自殺を疑う理由もないのです。

このへんで一度整理してみます。あなたが去年の秋頃から、一体何をしてきたのかということです。それを時間軸に沿って、振り返ってみましょう。

まずあなたは未使用の古い大学ノートを用意しました。学校の中を探せば、そんなものはすぐに見つかったことでしょう。そしてそこへ、日高邦彦さんがすでに発表した作品を、次々に書き写していったのです。ただし完全に写すのではなく、表現や人物の名前を変えたり、筋を少しアレンジしたりして、あたかも発表された作品の原型であるかのような印象を与えるよう工夫しました。一冊を書き写すだけでも、一ヵ月はかかったのじゃありませんか。大変な仕事であったろうと想像します。また最近の作品については、ワープロのほうに入力していきました。大学ノートと一緒に見つかった原稿用紙に書かれていた小説は、実際にあなたが昔お書きになったものなのでしょうね。あれらの作品と内容が合致するものは、日高さんの小説には見当たりませんから。

また、『氷の扉』については、今後の展開をあなた自身が考える必要があったはずです。アイデアメモを刑事に発見してもらわなければならないし、日高さんを殺害した時にアリバイ工作用に使用する原稿は、あなたが自分で書かなければならなかったからです。

次にビデオ映像の作成です。これは先程もいいましたように、おそらく去年の暮れあたりに撮影したのでしょう。

そして今年になって、日高初美さんのエプロンや写真を入手しました。それ以外に、旅行申込書やネックレスなどの小道具を揃えるという作業もあったはずです。申込書は古いものをお持ちだったのですか。そういうものも学校には残っているのかもしれませんね。また、あなたは、タンスの中に入っているペーズリー柄のネクタイは初美さんから貰ったもので、食器棚のマイセンのティーカップは二人で買ったものだとおっしゃいましたが、それらも最近になって揃えたのでしょうね。

それからもう一つ、大事なことがあります。日高夫妻はカナダへ送る荷物をまとめるのに約一週間を費やしたそうですが、その間一度だけあなたは日高家を訪れているそうですね。その目的は、二つの品を荷物の中に忍ばせることにあったのではないですか。二つの品とは、ナイフと例のビデオテープです。本の内部をくりぬいて、テープを入れるようにした細工にはしてやられました。いかにも日高邦彦さんが隠し持っていたという感じですからね。以上のような準備を整えたうえで、あなたは四月十六日を迎えたのです。そうです、今度の事件があった日です。

いえいえ、あれは衝動的な犯行などでは断じてありません。長い時間をかけて下拵《したごしら》えがなされた、恐るべき計画的犯行だったのです。

通常、犯罪計画というのは、犯人が逮捕されることを回避するために練るものです。いかにして犯行が発覚しないようにするか、発覚したにしても、自分に嫌疑がかからないようにするにはどうすればいいか、そういったことを犯人は頭を絞って考えるのです。

ところが今回のあなたの犯罪計画は、そういったものとは全く目的の異なるものでした。

あなたは逮捕されることを少しも避けようとはしなかった。いやそれどころか、すべての計画は逮捕されることを前提に組み立てられたのです。
端的にいえばこういうことです。野々口さん、あなたは長い時間と手間をかけて、動機を作ったのです。日高邦彦さんを殺害するにふさわしい動機をね。

じつに驚くべき発想だと思います。殺人を犯す前に、まず動機を用意するなんてことは、おそらく前代未聞ではないでしょうか。私は今でこそ確信を持ってしゃべっていますが、この結論に至るまでにはずいぶんと悩んだのです。まさかそんなことはあるはずがない、という具合に。

例のビデオにしても、もしはじめから警察が疑ってかかれば、偽造されたものであることはもっと早い段階でわかったかもしれません。ところが捜査陣は疑わなかった。当然です。あのビデオはあなたの犯行動機を証明する重要な証拠であり、それを犯人であるあなたが作ったなどと、誰が考えるでしょう。

大学ノートや原稿用紙に書かれた作品群もそうだし、日高初美さんとの関係を仄《ほの》めかす小道具にしてもそうです。あれらがもしあなたの犯行を否定する証拠であったなら、捜査陣は目の色を変えてその真贋《しんがん》を確認したに違いありません。しかし実際はそうではなかった。すべて、あなたの犯行動機を裏づける証拠品だった。残念ながら現在の警察は、被疑者にとって有利な証拠には厳しいが、不利な証拠には甘いという傾向があります。あなたは見事にその弱点をついてきたのです。

特にあなたが巧妙だったのは、その偽りの動機を自分から進んで語ったのではなく、捜査側に突き止めさせるという形に持っていったことです。もしあの動機をはじめからべらべらとしゃべっていたら、いかに鈍感な刑事たちでも、あるいは違和感を持ったかもしれません。

あなたは捜査陣が誤った道に入るよう、巧みに誘導しました。いや、罠を仕掛けておいたのです。日高さんの小説の原型と思われるものを書いた、膨大な量のノートや原稿用紙がまず第一の罠です。そして第二の罠がエプロンであり、ネックレスであり、旅行申込書であり、日高初美さんの写真でした。今から考えると、我々がなかなか彼女の写真を発見しないので、あなたは焦っておられたのかもしれませんね。ある時あなたは私にいいました。あまり部屋の中をひっかきまわさないでくれ、人から預かっている大事な本もあるから、と。あの言葉がヒントになって我々は『広辞苑』の中から日高初美さんの写真を発見したわけですから、まんまと誘導されたということになりますね。あなたもほっとされたことでしょう。

第三の罠に関しても、あなたの誘導がありました。事件後あなたは日高理恵さんに、邦彦さんが持っていたビデオテープはどこにあるか、ということを尋ねていますね。理恵さんがカナダに送ったというと、荷物が戻ってきたらすぐに知らせてほしいといったそうじゃないですか。

その話から、私は日高邦彦が所持するビデオテープの中に何かが隠されていると考えました。そうして、例の殺人未遂の夜を写したテープを発見したわけです。しかもテープは日高さんの著書『夜光虫』の中に隠してありました。『夜光虫』を読めば、その内容とビデオに写っているシーンとが符合していることに誰でも気づきます。ここにもあなたの見えない誘導がありました。

そういえば事件の夜、私とあなたが約十年ぶりに再会した時、私が日高邦彦さんの小説について尋ねると、あなたは真っ先に『夜光虫』を薦めましたね。あれもまた先を見据えた作戦だったわけだ。脱帽です。

ここで時計の針を少し戻して、あの日のことを振り返ってみましょう。あの日とはいうまでもなく、あなたが日高邦彦さんを殺した日のことです。

これまでに述べてきた推理からもわかるように、当然あの殺人は計画的なものでした。しかしあなたとしては、そのことは誰にも気づかれてはならなかった。あくまでも衝動的な犯行として事件が処理される必要があったのです。そうしないと、偽りの動機が生きてこなくなります。

あなたは殺害方法について知恵を絞りました。刃物や毒物を使うことは許されません。それではじめから殺意があったことを自ら公言するようなものです。では首を絞めるか。だが両者の体力を比べた場合、腕ずくで絞殺というのは難しいでしょう。

というわけであなたが選んだのは撲殺《ぼくさつ》でした。背後から鈍器で殴る。相手が倒れたところで首を絞め、とどめを刺すというわけです。

しかしその場合にも凶器は必要です。しかもそれは日高家に元からあったものが望ましい。そこであなたは日高さんが愛用している文鎮のことを思いだしました。あれで殴れば確実だろう。首はどうやって絞めるか。そうだ、電話のコードがいい――おそらくそういった自問自答があったことだろうと想像します。

ここであなたの心の中に不安が生じました。犯行当日は、日高家の引っ越しが粗方《あらかた》終わった後である。となると、予定している凶器が残っていない可能性もある。

電話のコードはたぶん問題ない。ぎりぎりまで仕事をして、原稿をファックスで送るつもりの日高さんが、電話のコードを片付けているはずはない。

問題は文鎮のほうでした。執筆に欠かせないというものでもない。すでに段ボール箱の中に片付けられていることは充分に考えられました。

文鎮がなかった時にどうするか。あなたはその時のことを考えて、一応自前の凶器を用意していきました。それがドン・ペリニヨンです。万一の場合には、あの瓶を凶器にするつもりだったのです。

あなたは日高家に行った時、すぐにはそのシャンペンを渡しませんでした。相手に渡してしまうと、凶器として使えなくなるおそれがあったからです。

あなたはまず日高邦彦さんと共に仕事場へ行きました。そして文鎮がまだあることを確認したのです。たぶんほっとしたであろうことを私は想像します。

藤尾美弥子さんがやってきて、入れ違いに部屋を出た後、あなたはシャンペンを理恵さんに渡しました。もし文鎮がなかったら、そこでは渡さず、後に凶器に転用したのでしょうね。その場合、引っ越し祝いに持ってきたシャンペンを咄嗟に凶器に使うことを思いついたということになり、やはり衝動的な犯行だという印象を第三者に与えられます。しかしあなたとしては、なるべくなら日高さんの持ち物である文鎮で殺したほうがより確実だと考えたのでしょうね。

あなたがシャンペンのことを手記に書かなかったのは、そのあたりのことを警察に感づかれるのを恐れたからでしょう。はじめてこの話を聞いた時、私はもしかしたらそのシャンペンに毒でも入っていたのではないかと疑いました。それで最終的にあれを飲んだホテルマンに味はどうだったかということまで尋ねたのですよ。おいしかった、と彼はいっておりました。それで毒入り説を捨てたわけですが、考えてみればあなたが毒を使うはずなんか、絶対になかったのですよね。

ところで例のパソコンと電話を使ったアリバイトリックは見事なものでした。私の上司などは、未だに仕組みがよく理解できていないようなんですよ。

ひとつ気になっているのですがね、もし我々があのトリックを見破っていなかったら、あなたはどうするつもりだったのですか。あなたは疑われることもなく、したがって逮捕されることもなかったわけですが。

答えたくないようですね。

まあこんなことは訊いても仕方がないことではあるのですがね。現実には我々はアリバイトリックを見破ったのだし、あなたは逮捕されたのですから。

疲れましたか。少々話が長くなりましたからね。でももう少し付き合ってください。私だって、あなたのためにずいぶんと疲れさせられたのですから。

それにしても、なぜあなたはこんなことをしたんでしょう。逮捕されることを前提に、偽りの動機を構築するなどというのは、常識では考えられないことです。

敢えて推察するならば、こういうことになります。あなたはある動機のもとに日高邦彦さんを殺そうと考えた。その結果として逮捕されることは覚悟の上だった。そこには癌の再発を自覚したことも関わっていたのだろうと思います。つまり仮に捕まったところで、監獄にいる時間はそれほど長くないだろうというわけです。

しかしあなたは、もし逮捕された場合でも、真の動機は隠し続けなければならないと考えた。あなたにとっては殺人犯として逮捕されるよりも、その真の動機を公表されることのほうがはるかに怖かったのです。

その真の動機について、あなたの口からお聞きしたいのですが、いかがでしょうか。もうここまできた以上、あなたが黙り続ける意味はないように思うのですが。

……そうですか。

どうやら話してはいただけないようだ。では仕方がありません。私なりの推理を述べさせていただきます。

野々口さん、これが何だかわかりますか。ええ、そうです。CDです。といっても音楽を聞けるCDじゃありません。いわゆるCD-ROMというやつです。パソコンのデータが入っています。

今ではパソコン用のソフトは、大抵こういう形で売られているそうですね。ゲームや辞書などもあるらしいです。

でもこれは市販のCD-ROMではないんです。日高さんが業者に依頼して作らせたものなんです。

中にどういうデータが入っているのか、気になるでしょう？　じつはここには、おそらくあなたが探し続けていたに違いないものが入っています。

気がつきましたか。そうです。ここには写真のデータが入っているんです。フォトCDという代物なんですよ、これは。

日高さんは小説の資料として使う写真を、アルバムに収めておくようなことはしなかったのです。文壇の中でもパソコン導入が早かった日高さんは、何年も前から、資料用の写真はすべてこうしてCDにして保管するようにしておられたようです。そして最近ではデジタルカメラを使っておられました。

なぜ私がこのCDに目をつけたかお話ししましょうか。それはね、あなたと日高さんの過去を詳しく調査した結果、ある一枚の写真のことが気になり始めたからなんです。そこに写っていた内容が、もし私が想像するとおりであったなら、今まであまり重視していなかったことが俄然《がぜん》意味を持つようになり、様々なことが一本の線に繋がるのです。

私はその写真を探しました。いえじつは、その写真そのものは、ある人物によって処分されていたのです。しかしその前に日高さんはその写真を一度預かっています。私は、日高さんが何らかの形で写真の複製を作っていたに違いないと考えました。そうして、このフォトCDを発見したというわけです。

もったいをつけるのはやめましょう。その写真とは、あの時のものです。藤尾正哉が女子中学生を暴行するシーンを撮影したものです。

このCDの中には、その模様を生々しく再現した画像データが入っているのですよ。

本当はそれをプリントアウトし、今日ここへ持ってくるつもりでした。でも直前になって思い直しました。それは意味のないことだし、あなたの苦痛を蘇らせるだけだと思ったからです。

あなたには、その写真の中に私が何を見たかはおわかりですよね。私も、見る前から予想はしておりました。そうです、女子中学生を押さえつけて、藤尾正哉の暴行を手助けしていたのは、あなただったのです。

あなたの中学時代について、少し調べさせていただきました。いろいろな人が、いろいろなことをいっています。その中に、いじめについての話もありました。

野々口はいじめに遭っていた、という人がいました。いやそうじゃない、あいつがいじめられていたのは短い期間で、後は逆にいじめグループに入っていたんだという人もいました。でもじつは、これは両方とも同じことをいっているわけです。あなたは最初から最後までいじめに遭っていたのです。そのいじめの形が変わったに過ぎなかったのです。

野々口先生、とここでは敢えていいましょうか。先生も教師時代に経験し、痛感しておられますよね。私もそうです。いじめには決して終わりがない。当事者が同じ学校にいるかぎり続くのです。教師が、「いじめはなくなった」という時、それは「なくなったと思いたい」といっているにすぎないのです。

あの暴行事件が、あなたにとって癒えることのない心の傷となっていることは想像に難くありません。好き好んで、あんなことをしたわけではないでしょう。藤尾正哉に逆らえば、また憂鬱ないじめの日々が復活することは確実でした。それを恐れて、いやいやながらあのような汚い行為に手を染めたのだろうと思います。その時にあなたを襲った罪悪感、自己嫌悪を思うと、全くの部外者である私でさえ心が痛みます。考えてみれば、あなたが当時受けた最悪のいじめが、あの暴行の共犯を強いられたことだったのですね。

これほどの呪うべき過去の記録は、命に換えても隠し通さねばならない――それが今回の殺人動機であったのだろうと私は考えます。

しかし、です。

なぜ今になって、急にこの秘密のことが気になったのでしょう。日高さんが写真を入手したのは『禁猟地』を書く前であり、それ以後も写真の存在を他人に話していた形跡はありません。ならば、今後も秘密が守られるとは考えなかったのでしょうか。

今さら、日高さんがその写真を種にあなたを脅迫していた、などという嘘はつかないでくださいよ。そういう場当たり的な嘘はすぐに見破られますし、第一、今度のような完璧な犯罪を構築したあなたに似つかわしくない。

私は、藤尾美弥子さんの存在が関わっていると睨んでいます。彼女の登場が、すべてを狂わせたのです。

彼女は『禁猟地』の件で、日高邦彦さんと裁判で争うつもりでした。日高さんも、場合によってはそれも仕方がないという姿勢でした。そういう状況になって、あなたは急に不安になってきたのです。もしやあのおぞましい写真が、証拠物件として法廷にさらされる時がくるのではないか、と。

これは私の想像ですが、あなたは日高さんがあの小説を書いた時から、不吉な予感を抱き、危機感を持っておられたのではないですか。藤尾さんが現れたことで、あなたの怯えが最高潮に達し、ついに殺人を決意するに至ったと私は推理しています。

しかし、これだけではまだ説明できないことがある。いやじつは、最も大切なことがこれまでの推理には抜け落ちているのです。

それは、あなたと日高邦彦さんの関係は、実際にはどういうものだったのか、ということです。

忌まわしい過去を公表されたくないから、その秘密を握る人物を殺す。これは理解できないことではありません。でもその相手は、ふだんから親しく付き合ってきた人間なのです。あなたは日高さんが、仮に藤尾美弥子さんとの争いが泥沼化しようとも、あの秘密だけは隠し続けてくれるとは考えなかったのでしょうか。

あなたの告白文では、二人の関係は憎しみに満ちたもののように描かれています。でもすべてが創作であったと判明した今、その前提は捨てねばなりません。

我々がこれまでに摑んだ事実だけから、日高さんのあなたに対してしてきたことを整理すると、次のようになります。日高さんは、中学以来会っておらず、またその中学時代に明らかに自分を嫌っていたと思えるあなたと、交友関係を復活させた。それだけでなく、あなたが児童文学の世界で生きていけるよう出版社を紹介した。そして藤尾美弥子さんとの再三の話し合いの中で、『禁猟地』という作品に密接に関わっているあなたの名前を、とうとう最後まで出さなかった。

これらの事実を俯瞰《ふかん》した時に浮かんでくる日高という人物のイメージは、あの人の少年時代の話とも非常にうまくマッチします。たとえばある人は、「誰にでも分け隔てなく優しい少年だった」といっていました。

私は、少なくとも日高さんのほうは、あなたのことを本当に親友として見ていたのではないかと思います。そう考えたほうが、筋が通るからです。

ただ、この結論に到達するまでには、少し時間がかかりました。というのは、私の中に先入観としてある日高さんの人物像と、あまりにもかけ離れているからです。じつはこれは日高さんの少年時代について聞き込みをしている間、ずっと心に引っかかっていたことでもありました。

なぜこういうずれが生じているのかを私は考えました。あなたが書いた偽りの告白文を読んだからか？　違います。私はずいぶん早い段階から、日高さんに対して、ある固定したイメージを抱いていたのです。そのイメージはどこから来たものか。そしてあることに思い当たったのです。

それはあなたが最初にお書きになった、事件当日の記録です。

私はあの記録のうち、事件に直接関係する部分にばかり気をとられていました。しかしじつは一見何でもなさそうなところに、深い意味のある仕掛けが隠されていたのです。

その顔から察しますと、私が何をいいたいのか、おわかりになったようですね。ええ、そうです。私は猫のことをいっているのです。あなたが殺した、あの猫のことをね。

農薬は見つかっています。あなたの部屋のベランダに土を入れたプランターが二つ置いてありましたが、その中から検出されました。毒ダンゴを作って、余った分の処置に困って、あそこの土に混ぜたんでしょう？

見つかった農薬は、猫の死骸から検出されたものと同一でした。ええ、死骸はまだ残っていたんですよ。飼い主が箱に入れて、庭に埋めていたのです。

日高さんが近所の猫に悩まされていたことは、本人からお聞きになっていたんですか。それとも例の、『我慢の限界』というエッセイをお読みになったんですか。まあ親しくしておられたわけだから、やはり直接聞いておられたんでしょうね。

あなたは毒ダンゴを作ると、日高夫妻が留守の時を狙って、日高家の庭に仕込んだわけです。そうして猫を殺した。なぜそんなことをしたのか。理由は一つ。先程から私がいっている、日高さんのイメージ作りのためです。

今回私は少しだけ文芸の世界に触れてみたわけですが、作品を批評する言葉として、こういう表現を覚えましたよ。それはね、「人間を描く」という言葉です。その人物がどういう人間なのかを読者に伝えるということですが、それは説明文ではいけないそうですね。ちょっとしたしぐさや台詞などから、読者が自分でイメージを構築していけるように書くというのが、「人間を描く」ということなんでしょう?

あなたは偽りの手記を書くにあたり、まず日高邦彦という人物の残酷性を、早い段階で読者つまり私たちに植え付ける必要があると考えた。そのために用意したエピソードが、あの猫殺しだったわけです。

事件の日に、あなたが猫の飼い主である新見夫人と日高家の庭で出会ったのはハプニングだったんでしょう。しかしあなたにとっては都合がよかった。その話を手記の冒頭に持ってきたことによって、日高さんの猫殺しが信憑性《しんぴょうせい》を持ちましたからね。

みっともない話ですがね、私はまんまとあなたのトリックに引っかかってしまいました。あなたを逮捕し、あなたの最初に書いた手記は信用に値するものではなかったと思いながらも、猫殺しのエピソードまでが嘘とは考えず、日高さんに対する自分なりの印象を修正しようとはしなかったのですから。

お見事でした、としかいいようがありません。今度の事件であなたは数々のトリックを仕掛けましたが、あれこそが最高のものであったと私は思います。

そしてこの猫殺しのトリックに気づいた時、私の頭に閃くものがありました。もしかすると、このトリックの目的がそのまま、今度の犯行の狙いなのではないか――。

つまり、あなたの究極の目的は、日高さんの人間性を貶《おとし》めることにあったというわけです。そう考えると、今度の事件の姿が見事に見えてくるのです。

私は先程あなたの犯行動機について述べました。中学時代の忌まわしい秘密を隠したい気持ちから、日高さんを殺したのだろうといいました。それについてはあなたも否定しておられませんし、私も間違いではないと考えています。

しかし私はこんなふうに思うのです。それは、あなたに殺人を決意させるきっかけになっただけではないか、と。

あなたが日高さん殺しを思いついてから、犯罪計画を練り上げるまでの心の動きを想像してみます。前述した理由から、あなたとしては日高さんを殺すにふさわしい動機を作りあげる必要があった。しかしどんな動機でもいいというわけではない。それが公表された時、世間の同情はすべて自分に集まり、逆に被害者である日高さんの人間性は地に落ちるという性質のものを考えなければならなかった。

そうして考案したのが、日高初美さんとの不倫から、ゴーストライターを強いられるに至るまでのストーリーです。うまくいけば、日高さんが発表した作品の真の作者という名誉さえ手に入れることができます。

それだけの目的があったからこそ、指にペン胼胝をこしらえてまで大量の手書き原稿を作成したり、寒空の下で偽のビデオ映像を作るような手間をかける気にもなれたのでしょう。何ヵ月もかけて、周到な準備ができたわけでしょう。単に中学時代の過去を隠すためだけなら、もっとわかりやすい動機を用意したってかまわなかったはずですから。

あなたが執念を傾けて組み上げたプログラムは、日高さんが築き上げてきたものすべてを破壊するためのものだったのです。そして殺人自体もまた、そのプログラムの一部に過ぎなかったのです。

逮捕されることも恐れず、残り少ない人生のすべてを賭けてまで、ある人物の人間性を貶めようとする。それは一体どういうことだろうかと私は考えました。

正直なところ、私には論理的な答えは出せません。でも野々口さん、それはもしかしたらあなたも同様なのではないですか。あなたにも、うまく説明できないのではないですか。

私は約十年前に自分が体験した事件を思い出します。覚えておられますか。私の教え子が、卒業式の直後に、自分をいじめていた生徒を刺した事件です。あの時いじめの首謀者だった生徒がいった台詞は、「とにかく気に食わないから、気に食わない」というものでした。

野々口さん、あなたの心境も、あの時の彼と変わらないのではないですか。あなたの心の中には、あなた自身にも理解不能な、日高さんに対する底知れぬほど深い悪意が潜んでいて、それが今度の事件を起こさせたのではないですか。

その悪意の根源は一体どこにあるのでしょうね。私はあなた方二人のことをかなり詳細に調べました。その結果わかったことは、日高さんがあなたに恨まれる理由は、何ひとつないということでした。彼は素晴らしい少年であり、あなたの恩人であったはずなのです。あなたが藤尾正哉と組んで彼をいじめていた時期さえあったというのに、彼はあなたを救いました。

しかしそうした恩が、逆に憎しみを生むということを私は知っています。あなたが彼に対して劣等感を抱いていなかったはずがないのです。

さらにあなたは大人になってから、日高さんに対して嫉妬というものも感じなければならない羽目に陥りました。あなたはこの世でもっとも先を越されたくない相手に、作家として成功されてしまったのです。あの人が新人賞をとったことを知った時のあなたの心境を想像すると、私は全身の毛がぞわぞわと逆立つのですよ。

それでもあなたは日高さんを訪ねていったわけですね。あなたは心底作家になりたかったんだ。そして日高さんと繋がりを持つことは、その夢への近道になると信じたのでしょう。そこで、心の中の悪意を一時封印することにしたわけです。

ところがあなたの道は険《けわ》しかった。運のせいか、才能が原因かは私にはわかりません。とにかくあなたは成功しないまま、身体を悪くしてしまった。

死を覚悟した時、あなたの心の中の封印が解かれたことを私は確信します。あなたは日高さんへの悪意を抱いたまま、この世を去ることは我慢できなかったのです。そしてその悪意を後押ししたのが、過去の秘密を日高さんに握られているという事実でした。

以上が私の考える、今回の事件の真相です。何か反論はありますか。

黙っておられるということは、肯定しておられると解釈していいんでしょうか。

ずいぶんと時間が経ちました。私も口の中がからからですよ。

ああ、そうだ。もう一つ付け加えておきましょう。

あなたやあなたのおかあさんの過去の言動には、日高さんや周辺地域の人々に対して、何か偏見を持っていたと思われるふしが感じられます。

しかし断言しておきますが、何らかの醜い偏見が生じる根拠も、偏見が存在したという歴史も、あの地域にはありません。

少年時代にあなたが日高さんを嫌った理由の一つに、もしかしたらおかあさんの、その種の軽蔑すべき思いこみが関わっているのかもしれないと思いましたので、念のために申し上げました。

では手術が成功することを、心より祈っております。あなたには、何としてでも生きていてもらいたいのです。

法廷が待っていますから。

解説

桐野夏生

日本人は、メモや日記を数多く残している稀有な民族だと聞いたことがある。本書『悪意』を読んで、人間とは記録する生き物なのだ、と改めて妙な感慨に耽った。

出来事や感情、思惟、時間の流れ。それらを留め、残そうと人は「記録」する。フィクションもまた「記録」のひとつに違いないのだとしたら、本書は「記録」そのものを主題にしようと企んだ壮大なミステリである。

記録が真実そのものだと思う人はまずいまい。記録は記録者の主観による「事実」だと誰もが承知しているからだ。にもかかわらず、人は簡単に騙される。いや、騙されたいのである。人間には、たとえ他人のものでも、書かれた主観に同化したいと願う本能があるらしい。例えば、主人公にうまく感情移入できた小説は読みやすく面白いし、そうでなかったものはつまらなく感じられる。

だから叙述というものは、最初から呪術的な力を持っているのである。本書には、人間の

「記録したい」欲望、また「記録されたもの」を真実と思い込みたい人間の欲望とを、幾層にも塗り込めた奇妙な味わいがある。それは作者自身が叙述の魔法を熟知した「小説家という記録者」であることに他ならないし、ミステリというジャンルがこのような不思議な小説を産み出させたのだと言えるだろう。

物語の底を流れるのは人間の「悪意」という黒い川だ。悪意の流れる水音は微かに聞こえてくるのだが、その流れは目に見えない。登場人物たちが巧妙に隠蔽しているのか、あるいは気付かぬのか、それともよほど地下深くを流れているのか、登場人物たちの「記録」にはなかなか立ち現れてはこない。もどかしさに堪えられず、読者は本書の「手記」や「記録」の行間を必死に読み解こうとするだろう。著者は「記録」の狡猾さを充分に確信した上で、読者に挑んでいるのだ。

本書の構成は、語り部（記録者と言うべきか）となる二人の人物による手記と記録とが交互に著され、ある事件の奇怪な様相が次第に浮き彫りにされていく仕掛けだ。真実と思ったものがそうではなく、虚偽と断じられたものが真実となり、読者は何度も騙され、肩すかしやビンタを喰らいながら翻弄されることになるが、本書の持つ雰囲気はむしろ暗い墨色が滲んでいくように淡々として静かに怖い。

最初の手記は、野々口修によって書かれる。

野々口は児童文学者。中学の国語教師をしていたが、中学時代の同級生・日高邦彦の紹介で文章で身を立てるべく教職を辞した。その野々口が遭遇したのは、日高邦彦の殺人事件という禍々《まがまが》しい出来事だった。

日高邦彦は人気作家だ。十年前にデビューしたものの、さほど目立つ存在ではなかった日高を有名にしたのは花火師の人生を描いた『燃えない炎』という作品だった。その作品で高名な文学賞を得て、日高は一気に日本でも数少ないベストセラー作家となった。メジャー作家・日高と、児童文学を書いてはいるものの、いずれは一般小説も書きたい野心を密かに持つ野々口との友情は如何なるものだったのか。読者は最初から興味をそそられる。

日高は妻と共にカナダに移住を計画していた。野々口は最後の別れに日高家を訪れて、ある訪問者と擦れ違う。日高の『禁猟地』という作品のモデルとなった人物の遺族である。死者のプライバシーを侵害されたとして係争中だった遺族は、日高のカナダ移住を知って抗議にやって来たのだった。

その直後に日高は殺され、第一発見者となった野々口は事件に巻き込まれる。こうして野々口は事件を「記録」しておこうと手記を書き始めるのである。

『一生のうちでもこんな日は何度もこないだろう。そう思うと、悲劇的な一日であったにも拘わらず、眠るのが惜しいような気もした。（中略）そのうちに私は一つのアイデアを思いついた。この体験を記録しない手はない。友人が殺されるというドラマを、自分の手で書き残しておこう』

野々口が何を意図していようと、これは作家的態度であることは間違いない。「記録」の始まりというのは、かような卑しさもある。また、モデルのプライバシー侵害という問題も、野々口の作家的態度と無関係ではないのだ。つまりは、ある出来事や人間を「記録」しようという試みには、こうした卑しさにも見える好奇心をくぐり抜け、それでも書き続けねばならない側面がある。端から東野氏は「記録」することの胡散臭さを呈示していて興味深い。

一方、もう一人の記録者は刑事の加賀だ。加賀は奇しくも野々口と同じ中学で教鞭を取っていた過去を持つ。社会科の教師だった加賀は、ある事件をきっかけに辞めて刑事になった変わり種だ。

加賀という人物を、野々口には同情的でありながらも真実の追及には手を抜かない男に設定したことによって、加賀の「記録」は常に野々口の「記録」を検証する役割を持つことになる。やがて加賀は野々口の叙述と現実の捜査との齟齬を突き止め、いとも簡単に日高殺害の犯人を野々口と断定することになる。

しかし、物語はここから俄然スリリングになる。本書は犯人をまず明らかにすることによって、いわゆる犯人探しではなく、動機探しという不思議な旅に読者を旅立たせるのだから。

何故に野々口は「記録」するのか。

何故に野々口の住まいから、日高邦彦の原稿が大量に出てくるのか。

何故に野々口は日高を殺害したのか。

やがて、加賀は野々口から信じられない事実を聞いて驚愕する。日高邦彦を人気作家に押し上げた『燃えない炎』は野々口の作品だったというのである。思ってもいなかった盗作問題が浮上する。そこで姿を現してくるのが、見えない悪意の存在だ。

『彼が恐ろしいと思ったのは、暴力そのものではなく、自分を嫌う者たちが発する負のエネルギーだった。彼は今まで、世の中にこれほどの悪意が存在するとは、想像もしていなかったのだ』

これは日高邦彦の小説『禁猟地』の中の一節だ。『禁猟地』といえば、モデルとなった遺族から抗議されている曰く付きの小説。しかし、本当の作者は誰なのかわからない。だとすれば、いったい誰が誰にどんな目に遭わされ、そこにはどのような悪意が存在するというのか。負のエネルギーとは誰に対して向けられたものなのか。

これが本書のあらましであるが、これ以上書くことは許されないだろう。ただ言えるのは、事件そのものだけでなく、本書もまた複雑な様相を幾重にも持っていることだ。メタフィクションかと思うとするりと身をかわされ、作家の正直な思いが吐露されていると信用してかかると嘘だったり、嘘と思えば正直だったり、どうにも尻尾を摑ませない。

それは、本書が人間の底知れぬ悪意を描きながらも、いつの間にか「記録」することに囚われて封じ込められた男の悲劇、と読めなくもないからである。また、本書自体が「記録」で、我々がその魅力に十分、酩酊させられたせいだろう。

●本作品は、一九九六年九月に株式会社双葉社より単行本として、
二〇〇〇年一月に講談社ノベルスとして刊行されました。

|著者|東野圭吾　1958年、大阪府生まれ。大阪府立大学電気工学科卒業後、生産技術エンジニアとして会社勤めの傍ら、ミステリーを執筆。1985年『放課後』（講談社文庫）で第31回江戸川乱歩賞を受賞、専業作家に。1999年『秘密』（文春文庫）で第52回日本推理作家協会賞、2006年『容疑者Xの献身』（文春文庫）で第134回直木賞、第６回本格ミステリ大賞、2012年『ナミヤ雑貨店の奇蹟』（角川書店）で第７回中央公論文芸賞、2013年『夢幻花』（PHP研究所）で第26回柴田錬三郎賞、2014年『祈りの幕が下りる時』（講談社文庫）で第48回吉川英治文学賞を受賞。他の著書に「加賀シリーズ」の『新参者』『麒麟の翼』（ともに講談社文庫）や、『危険なビーナス』（講談社）など多数。最新刊は『沈黙のパレード』（文藝春秋）。

悪意《あくい》
東野圭吾《ひがしのけいご》

2001年１月15日第１刷発行
2019年６月17日第92刷発行

発行者──渡瀬昌彦
発行所──株式会社 講談社
東京都文京区音羽2-12-21　〒112-8001
電話 出版 (03) 5395-3510
販売 (03) 5395-5817
業務 (03) 5395-3615
Printed in Japan

講談社文庫
定価はカバーに
表示してあります

デザイン──菊地信義
製版───株式会社精興社
印刷───凸版印刷株式会社
製本───株式会社国宝社

ISBN4-06-273017-0

講談社文庫刊行の辞

二十一世紀の到来を目睫に望みながら、われわれはいま、人類史上かつて例を見ない巨大な転換期をむかえようとしている。

世界も、日本も、激動の予兆に対する期待とおののきを内に蔵して、未知の時代に歩み入ろうとしている。このときにあたり、創業の人野間清治の「ナショナル・エデュケイター」への志を現代に甦らせようと意図して、われわれはここに古今の文芸作品はいうまでもなく、ひろく人文・社会・自然の諸科学から東西の名著を網羅する、新しい綜合文庫の発刊を決意した。

激動の転換期はまた断絶の時代である。われわれは戦後二十五年間の出版文化のありかたへの深い反省をこめて、この断絶の時代にあえて人間的な持続を求めようとする。いたずらに浮薄な商業主義のあだ花を追い求めることなく、長期にわたって良書に生命をあたえようとつとめるところにしか、今後の出版文化の真の繁栄はあり得ないと信じるからである。

同時にわれわれはこの綜合文庫の刊行を通じて、人文・社会・自然の諸科学が、結局人間の学にほかならないことを立証しようと願っている。かつて知識とは、「汝自身を知る」ことにつきていた。現代社会の瑣末な情報の氾濫のなかから、力強い知識の源泉を掘り起し、技術文明のただなかに、生きた人間の姿を復活させること。それこそわれわれの切なる希求である。

われわれは権威に盲従せず、俗流に媚びることなく、渾然一体となって日本の「草の根」をかたちづくる若く新しい世代の人々に、心をこめてこの新しい綜合文庫をおくり届けたい。それは知識の泉であるとともに感受性のふるさとであり、もっとも有機的に組織され、社会に開かれた万人のための大学をめざしている。大方の支援と協力を衷心より切望してやまない。

一九七一年七月

野間省一

講談社文庫　目録

百田尚樹　海賊とよばれた男(上)(下)
ヒキタクニオ　東京ボイス
平田オリザ　十六歳のオリザの冒険をしるす本
平田オリザ　幕が上がる
ビッグイシュー 枝元なほみ　世界一あたたかい人生相談
久生十蘭　久生十蘭「従軍日記」
東　直子　さようなら窓
東　直子　らいほうさんの場所
東　直子　トマト・ケチャップ・ス
樋口明雄　ミッドナイト・ラン！
樋口明雄　ドッグ・ラン！
平谷美樹　居留地同心・凌之介秘帳 小倫敦の幽霊
蛭田亜紗子　人肌ショコラリキュール
樋口卓治　ボクの妻と結婚してください。
樋口卓治　続・ボクの妻と結婚してください。
樋口卓治　もう一度、お父さんと呼んでくれ。
樋口卓治　「ファミリーラブストーリー」
平山夢明　どたんばたん(土壇場譚)〈大江戸怪談〉
平山夢明　魂《たま》豆腐《どうふ》〈大江戸怪談どたんばたん(土壇場譚)〉
東川篤哉　純喫茶「一服堂」の四季
東山彰良　流《りゅう》
樋口直哉　偏差値68の目玉焼き〈星ヶ丘高校料理部〉
平田研也　小さな恋のうた
藤沢周平　新装版 春秋の檻〈獄医立花登手控え(一)〉
藤沢周平　新装版 風雪の檻〈獄医立花登手控え(二)〉
藤沢周平　新装版 愛憎の檻〈獄医立花登手控え(三)〉
藤沢周平　新装版 人間の檻〈獄医立花登手控え(四)〉
藤沢周平　新装版 闇の歯車
藤沢周平　新装版 市塵(上)(下)
藤沢周平　新装版 決闘の辻
藤沢周平　新装版 雪明かり
藤沢周平　義民が駆ける〈レジェンド歴史時代小説〉
藤沢周平　喜多川歌麿女絵草紙
藤沢周平　闇の梯子
藤沢周平　長門守の陰謀
船戸与一　新装版 カルナヴァル戦記
藤田宜永　樹下の想い
藤田宜永　艶《つや》めき
藤田宜永　流砂
藤田宜永　子宮の記憶〈ここにあなたがいる〉
藤田宜永　乱調
藤田宜永　壁画修復師
藤田宜永　前夜のものがたり
藤田宜永　戦力外通告
藤田宜永　いつかは恋を
藤田宜永　喜の行列 悲の行列(上)(下)
藤田宜永　老猿
藤田宜永　女系の総督
藤　水名子　紅嵐記(上)(中)(下)
藤原伊織　テロリストのパラソル
藤原伊織　蚊トンボ白鬚の冒険(上)(下)
藤原伊織　遊戯
藤田紘一郎　笑うカイチュウ
藤本ひとみ　新・三銃士 少年編・青年編〈ダルタニャンとミラディ〉
藤本ひとみ　皇妃エリザベート
福井晴敏　Twelve《トゥエルブ》 Y.O.《ワイオー》
福井晴敏　亡国のイージス(上)(下)

講談社文庫 目録

講談社文庫　目録

深木《みき》章子《あきこ》　鬼畜の家
深木章子　衣更月《きさらぎ》家の一族
深木章子　螺《ら》旋《せん》の底
深志《みゆき》美由紀　美食の報酬
三木笙子　百年の記憶〈哀しみを刻む石〉
湊かなえ　リバース
宮内悠介　彼女がエスパーだったころ
宮乃崎《みやの》桜子《さきくらこ》　綺《き》羅《ら》の皇女《ひめみこ》(1)
宮乃崎桜子　綺羅の皇女(2)
村上　龍　海の向こうで戦争が始まる
村上　龍　走れ！タカハシ
村上　龍　愛と幻想のファシズム(上)(下)
村上　龍　超電導ナイトクラブ
村上　龍　イビサ
村上　龍　音楽の海岸
村上　龍　村上龍料理小説集
村上　龍　村上龍映画小説集
村上　龍　ストレンジ・デイズ
村上　龍　共生虫

村上　龍　新装版 限りなく透明に近いブルー
村上　龍　新装版 コインロッカー・ベイビーズ
村上　龍　歌うクジラ(上)(下)
向田邦子　新装版 眠る盃
向田邦子　新装版 夜中の薔薇
村上春樹　風の歌を聴け
村上春樹　1973年のピンボール
村上春樹　羊をめぐる冒険(上)(下)
村上春樹　カンガルー日和
村上春樹　回転木馬のデッド・ヒート
村上春樹　ノルウェイの森(上)(下)
村上春樹　ダンス・ダンス・ダンス(上)(下)
村上春樹　遠い太鼓
村上春樹　国境の南、太陽の西
村上春樹　やがて哀しき外国語
村上春樹　アンダーグラウンド
村上春樹　スプートニクの恋人
村上春樹　アフターダーク
村上春樹 佐々木マキ絵　羊男のクリスマス

村上春樹 佐々木マキ絵　ふしぎな図書館
村上春樹 糸井重里　夢で会いましょう
村上春樹・文 安西水丸・絵　ふわふわ
U・K・ル＝グウィン 村上春樹訳　空飛び猫
U・K・ル＝グウィン 村上春樹訳　帰ってきた空飛び猫
U・K・ル＝グウィン 村上春樹訳　素晴らしいアレキサンダーと、空飛び猫たち
U・K・ル＝グウィン 村上春樹訳　空を駆けるジェーン
B・ルート著 T・ファリッシュ絵 村上春樹訳　ポテト・スープが大好きな猫
群ようこ　濃い人々〈いとしの作中人物たち〉
群ようこ　いいわけ劇場
群ようこ　浮世道場
群ようこ　馬琴の嫁
村山由佳　すべての雲は銀の…(上)(下)
村山由佳　永遠。
村山由佳　天翔る
室井　滋　うまうまノート
室井　滋　気になる飯《めし》〈うまうまノート(2)〉
睦月影郎　平成好色一代男 和装セレブ妻の香り
睦月影郎　新・平成好色一代男 元部下のOL

2019年3月15日現在

講談社文庫 目録